Эми Чуа

Боевой гимн матери-тигрицы

Перевод с английского
Екатерины Щербаковой

издательство **аст**

Москва

УДК 37.01(510)+821.111(73)
ББК 74.9+(7Сое)
Ч-81

Художественное оформление и макет Андрея Леонидова

Фото на обложке: © Jim Naughten

Чуа, Эми

Ч-81 Боевой гимн матери-тигрицы / Эми Чуа ; пер. с английского Е. Щербаковой. — Москва : АСТ : CORPUS, 2013. — 288 с.

ISBN 978-5-17-077992-5 (ООО "Издательство АСТ")

Профессор Юридической школы при Йельском университете Эми Чуа — автор книг "Мир в огне: как экспорт демократии свободного рынка породил этническую ненависть и глобальную нестабильность" *(World on Fire: How Exporting Free Market Democracy Breeds Ethnic Hatred and Global Instability)* и "День империи: как сверхдержавы строили мировое господство и почему они пали" *(Day of Empire: How Hyperpowers Rise to Global Dominance — and Why They Fall)*. В своей новой книге, вызвавшей бурные дискуссии по обе стороны Атлантики, она рассказывает о шокирующих подробностях китайского метода воспитания детей.

УДК 37.01(510)+821.111(73)
ББК 74.9+(7Сое)

ISBN 978-5-17-077992-5 (ООО "Издательство АСТ")

Содержание

Часть первая

Глава 1 **Китайская мать** 13
Глава 2 **София** 17
Глава 3 **Луиза** 21
Глава 4 **Чуа** 26
Глава 5 **О крахе поколений** 33
Глава 6 **Круг добродетели** 39
Глава 7 **Тигриная удача** 45
Глава 8 **Лулу и ее музыкальный инструмент** 50
Глава 9 **Скрипка** 59
Глава 10 **Отметки от зубов и пузырьки** 69
Глава 11 **“Маленький белый ослик”** 81
Глава 12 **Каденция** 86

Часть вторая

Глава 13 **Коко** 101
Глава 14 **Лондон, Афины, Барселона, Бомбей** 110
Глава 15 **Попо** 119

Глава 16 **Поздравительная открытка** 130
Глава 17 **Караван на Чуатаукву** 137
Глава 18 **Пруд** 144
Глава 19 **Как попасть в Карнеги-холл** 152
Глава 20 **Как попасть в Карнеги-холл. Часть вторая** 162
Глава 21 **Дебют и прослушивание** 170
Глава 22 **Горькая победа в Будапеште** 178

Часть третья

Глава 23 **Пушкин** 193
Глава 24 **Бунт** 208
Глава 25 **Темнота** 219
Глава 26 **Бунт. Часть вторая** 223
Глава 27 **Кэтрин** 231
Глава 28 **Мешок риса** 237
Глава 29 **Отчаяние** 242
Глава 30 **“Еврейская мелодия”** 247
Глава 31 **Красная площадь** 252
Глава 32 **Символ** 258
Глава 33 **На Запад** 261
Глава 34 **Окончание** 267

Эпилог 275

Благодарности 283
Примечания автора 285

Софии, Луизе и Кэтрин

Это история о матери, двух ее дочерях и двух собаках. Она также о Моцарте и Мендельсоне, о фортепиано и скрипке и о том, как мы попали в Карнеги-холл. *Предполагалось*, что это будет рассказ о том, что китайские родители в воспитании детей преуспели больше, чем западные.

Но вместо этого он — о жестоком столкновении культур, о вкусе мимолетной славы и о том, как меня посрамила тринадцатилетняя девочка.

Часть первая

Тигр — воплощение силы и власти,
обычно внушает страх и уважение

Глава 1
Китайская мать

Многие недоумевают, как китайским родителям удается воспитывать таких хрестоматийно успешных детей. Им интересно, что такого особенного делают китайцы, что у них рождается столько математических гениев и музыкальных вундеркиндов, на что похожа жизнь в такой семье и можно ли перенять китайский опыт. Что ж, я могу поделиться информацией, поскольку знаю, каково это. Вот список вещей, которые моим дочерям Софии и Луизе запрещено было делать:

- ночевать у друзей;
- ходить на детские праздники;
- участвовать в школьных постановках;
- жаловаться на то, что им нельзя участвовать в школьных постановках;

- смотреть телевизор или играть в компьютерные игры;
- выбирать внеклассные занятия по своему усмотрению;
- получать любую оценку, кроме пятерки;
- не быть отличницами по всем предметам, кроме физкультуры и драмы;
- играть на любом другом инструменте, кроме фортепиано и скрипки;
- не играть на фортепиано и скрипке.

Я широко использую термин "китайская мать". Недавно я встретила суперуспешного белого парня из Южной Дакоты (вы могли видеть его по телевизору), и, поделившись друг с другом воспоминаниями, мы пришли к выводу, что его отец-рабочий определенно был китайской матерью. Я знаю нескольких родителей из Кореи, Индии, Ямайки, Ирландии и Ганы, которых тоже можно так назвать. И наоборот, мне знакомы китаянки, обычно родившиеся на Западе, которых китайскими мамами не назовешь.

Я также широко использую термин "западные родители". Они бывают всех мастей. На самом деле рискну предположить, что стилей "западного" воспитания гораздо больше, чем "китайского". Некоторые "западники" строги; другие не слишком требовательны. Среди родителей есть гомосексуалисты, ортодоксальные евреи, люди, воспитывающие детей в одиночку, бывшие хиппи, инвестиционные банкиры и военные. Не обязательно, чтобы все они сходились во взглядах, поэтому, когда я использую термин "западники", я вовсе не имею в виду всех родившихся на Западе, так же как, используя термин "китайская мать", я говорю не обо всех китаянках.

И тем не менее, когда западные родители думают, что они строги, обычно они даже не приближаются в строгости к китайским матерям. К примеру, мои западные друзья, считающие себя требовательными, заставляют своих детей заниматься музыкой по полчаса в день. Максимум час. Китайская мать считает, что первый час занятия — это ерунда. Сложно становится на втором-третьем часе.

Несмотря на все наше презрение к культурным стереотипам, существуют тонны исследований воспитательных моделей, выявляющих качественную разницу между китайцами и "западниками". В одном из них приняли участие 50 американских матерей и 48 эмигранток из Китая. Почти 70% западных женщин сообщили, что либо "успехи в учебе, достигаемые в результате давления, не идут на пользу детям", либо "родители должны внушить детям мысль, что учеба — это весело". Ни одна китаянка с этим не согласилась. Наоборот, почти все они выразили уверенность в том, что их дети могут "учиться лучше", что "достижения в учебе — показатель хорошего воспитания" и что если их дети не выделяются в школе, то это "проблема", а родители "просто не справились со своими обязанностями". Другие исследования показывают, что в сравнении с западными родителями китайцы тратят в день в среднем в десять раз больше времени на то, чтобы заниматься зубрежкой со своими детьми. Зато западные дети чаще вступают в спортивные команды.

Это подводит меня к финальному выводу. Кто-то может решить, что увлеченные спортом американские родители — то же самое, что и китайские матери. И это в корне неверно. В отличие от помешанных на футболе западных матерей китайская мать верит, что 1) уроки всегда на первом месте; 2) "пять с минусом" — плохая оценка; 3) в математике ее дети должны на две головы опережать одноклассников; 4) ей не пристало хвалить детей на публике; 5) если ее ребенок не согласен с учителем или тренером, она неизменно должна становиться на сторону учителя или тренера; 6) единственное внеклассное занятие, которым позволено заниматься ее детям, должно привести их к медали; 7) эта медаль должна быть золотой.

Глава 2
София

Мой первый ребенок

София — мой первый ребенок. Мой муж Джед еврей, а я китаянка, что превращает наших детей в китаееврееамериканцев — этническую группу, название которой может звучать экзотично, но ее представителей много в известных кругах, особенно в университетских.

В английском языке имя София означает "мудрая". Так же как и Си-Хуи — китайское имя, данное Софии моей матерью. С самого рождения София была спокойным ребенком и обладала потрясающей способностью к концентрации. Эти качества ей достались от отца. В младенчестве она спокойно спала ночи напролет и начинала плакать, только когда наступало утро. В то время я билась над юридической статьей — я ушла из адвокатской фирмы на Уолл-стрит и отчаянно пыталась получить должность преподавателя, чтобы не пришлось возвращаться назад, — и уже в два месяца София это понимала. Спокойная и задумчивая, в год она в основном спала, ела и была свидетельницей моего писательского ступора.

София быстро развивалась и в полтора года уже знала алфавит. Наш педиатр не верил, что это возможно, и настаивал на том, что девочка всего лишь имитирует звуки. Чтобы доказать свою правоту, он вытащил большую хитроумную таблицу, в которой буквы алфавита изображали змеи и единороги. Доктор посмотрел на таблицу, затем на Софию, затем снова на таблицу. В результате он показал на жабу в ночной рубашке и берете.

"Кью", — пропела София.

Доктор хмыкнул. "Никаких подсказок", — сказал он мне. Когда мы добрались до последней буквы, я испытала облегчение: гидра с множеством красных языков хлопала крыльями, и София правильно идентифицировала ее как "ай".

В детском саду София тоже преуспела, особенно в математике[1]. В то время как другие дети пытались

1 В США детские сады больше соответствуют российским подготовительным школам. *(Здесь и далее — прим. перев.)*

считать от одного до десяти с помощью творческой американской методики — с палочками, шариками и пирамидками, — я учила Софию сложению, вычитанию, умножению, делению, простым и десятичным дробям — все согласно китайскому пути. И самым трудным было дать правильный ответ, используя палочки, шарики и пирамидки.

Когда мы с Джедом поженились, мы договорились, что наши дети будут знать мандаринское наречие и воспитываться в традициях иудаизма. (Я была воспитана в католических традициях, но мы не ищем легких путей. Католицизм едва ли имеет отношение к моей семье, но об этом позже.) Сейчас я понимаю, что это был смешной договор: сама я не говорю на мандаринском, мой родной диалект — южноминьский язык, а Джед вообще не религиозен. Но наш план каким-то образом осуществился. Я наняла няню-китаянку, чтобы та постоянно разговаривала с Софией по-китайски, а когда девочке исполнилось два месяца, мы отметили нашу первую Хануку.

Когда София стала старше, казалось, что от обеих культур она взяла лучшее. Как еврейка она все подвергала сомнению и была любопытна. А от меня, с ее китайской стороны, она получила навыки, много навыков. Я не имею в виду врожденные умения или что-то в этом роде. Я говорю о том, что было приобретено стараниями и дисциплиной, свойственными китайскому пути. К моменту, когда Софии исполнилось три года, она читала Сартра, доказывала простые теоремы и знала множество китайских иероглифов.

(По версии Джеда, она знала слова "выхода нет", рисовала два пересекающихся круга и, ладно, была знакома с парочкой иероглифов.) Когда я видела, как американские родители раздавали своим детям похвалы за простейшие действия — рисование закорючек и размахивание палочкой, — я понимала, что у китайских родителей есть два преимущества перед их западными коллегами: 1) завышенные ожидания относительно будущего их детей; 2) более высокое мнение об их умственных способностях.

Конечно, я также мечтала о том, чтобы София воспользовалась главными преимуществами американского общества. Я не хотела, чтобы в конечном итоге она превратилась в один из азиатских автоматов, которые испытывали на себе такое давление со стороны родителей, что в результате накладывали на себя руки, заняв второе место на госэкзамене. Я хотела, чтобы в ее жизни была гармония и чтобы у нее было хобби. Не просто "поделки", которые ни к чему не приводят, а, скорее, нечто более значительное и сложное, развивающее в теории глубокое владение мастерством и виртуозность.

И тогда мы купили фортепиано.

В 1996 году, когда Софии было три года, в ее жизни появилось кое-что новое — ее первый урок музыки и младшая сестра.

Глава 3
Луиза

Лулу

В кантри-музыке есть песня со словами “она дикарка с ангельским лицом”[1]. Это про мою младшую дочь Лулу. Думая о ней, я думаю и о том, как укрощать диких лошадей. Еще в утробе она дралась так сильно, что у меня на животе появлялись синяки. Имя Луиза означает “знаменитый воин”. Даже не знаю, как мы смогли понять это так рано.

1 Песня *Wild One* группы *Faith Hill*.

По-китайски ее зовут Си-Шан, что означает "коралл". И это тоже подходит Лулу. С момента рождения у нее был очень избирательный вкус. Ей не нравилось детское питание, которым я ее кормила, и она была так возмущена соевым молоком, которое наш педиатр предложил в качестве замены, что устроила голодовку. Но в отличие от Махатмы Ганди, чья голодовка была самоотверженной и медитативной, у Лулу начались колики, и она могла жестоко царапаться и кричать ночи напролет. К моменту, когда китайская няня Грейс пришла нам на помощь, мы с Джедом рвали на себе волосы и постоянно пользовались берушами. Грейс потушила тофу с морепродуктами и сделала соус из шиитаки с кинзой, и это удовлетворило и успокоило Лулу.

Трудно подобрать слова, чтобы описать мои взаимоотношения с младшей дочерью. Это даже не "полномасштабная ядерная война". Ирония в том, что мы очень похожи: она унаследовала мою вспыльчивость, злоязычие и отходчивость.

Кстати, о личных качествах: я не верю в астрологию и думаю, что у тех, кто верит, серьезные проблемы с головой, но китайский гороскоп описывает Софию и Лулу очень точно. София родилась в год Обезьяны, а люди, родившиеся в этот год, любопытны, умны и "в целом могут выполнить любую поставленную перед ними задачу. Они ценят тяжелую и интересную работу, поскольку это их стимулирует". Напротив, люди, родившиеся в год Свиньи, "упрямы" и "строптивы", они часто "впадают в ярость", хотя и "незлопамятны", они принципиально честны и добросердечны. И это в точности Лулу.

Я же родилась в год Тигра. Не хочу хвастаться, но Тигры благородны, бесстрашны, сильны, властны и привлекательны. Им обычно везет в жизни. Бетховен и Сунь Ятсен[1] были Тиграми.

Моя первая стычка с Лулу произошла, когда ей было около трех лет. В Нью-Хейвене, штат Коннектикут, стоял морозный зимний вечер; это был один из самых холодных дней в году. Джед работал, он тогда преподавал в Йельской школе права, а София была в садике. Я решила, что настал отличный момент, чтобы познакомить Лулу с фортепиано. В восторге от предстоящей совместной работы — Лулу с ее каштановыми кудряшками, круглыми глазками и личиком китайской куколки обманчиво казалась милой — я посадила ее перед фортепиано на табурет с большим количеством мягких подушек. Затем я последовательно, три раза подряд, показала, как, нажимая пальцем на клавишу, можно извлечь ноту, а потом попросила дочь повторить мои действия. Лулу отказала мне в этой простой просьбе, предпочтя колотить по клавишам обеими руками. Когда я попросила ее прекратить, она начала бить сильнее. Тогда я попыталась оттащить ее от рояля, и она принялась кричать, плакать и отчаянно драться. Пятнадцать минут спустя она все еще орала, рыдала и дралась, и чаша моего

1 *Сунь Ятсен* (1866–1925) — китайский революционер, основатель партии Гоминьдан.

терпения переполнилась. Уклоняясь от ударов, я потащила этого визжащего демона к двери во внутренний двор и распахнула ее.

На ледяном ветру были все двадцать градусов мороза, и мое лицо стянуло холодом уже через несколько секунд после того, как я вышла на воздух. Но я была полна решимости вырастить послушного китайского ребенка (на Западе слово "послушный" применяют в основном к собакам, но в китайской культуре послушание считается одной из наивысших добродетелей), иначе это убило бы меня. "Ты не можешь находиться в доме, если не слушаешься маму, — сказала я сурово. — Ты готова стать хорошей девочкой или хочешь остаться снаружи?"

Лулу сделала шаг на улицу и посмотрела на меня с вызовом.

Липкий страх пробрал меня до костей. На Лулу были только свитер, юбка в складку и колготки. Она перестала плакать. Более того, она была пугающе спокойной.

"Вот и здорово, ты решила вести себя хорошо, — сказала я быстро. — Можешь войти".

Лулу покачала головой.

"Не будь дурочкой, Лулу. Ты же замерзнешь. И заболеешь. Давай заходи".

Она стучала зубами от холода, но вновь мотнула головой.

А затем мне все стало ясно. Я недооценивала Лулу, не понимала, из какого теста она сделана. Она скорее замерзнет до смерти, чем сдастся.

Я немедленно должна была сменить тактику; прежняя не привела бы меня к победе. К тому же социальная служба могла бы лишить меня родительских прав. Мой мозг лихорадочно работал, я сменила курс, начав клянчить, уговаривать и подкупать Лулу, лишь бы она вошла в дом. Когда вернулись Джед и София, Лулу отогревалась в горячей ванне, макая брауни в чашку с дымящимся какао.

Но Лулу меня тоже недооценивала. Мне нужно было всего лишь перевооружиться. Линия фронта была прочерчена, а девочка даже не подозревала об этом.

Глава 4
Чуа

Моя фамилия — Чуа (Кай на мандаринском), и я люблю ее. Мои близкие — выходцы из южной китайской провинции Фуцзянь, известной своими филологами и учеными. Один из моих предков со стороны отца, всесторонне образованный Чуа Ву Ненг, был астрономом императора Шэнь Цзуна, а также поэтом и философом. В 1664 году, когда на Китай напали манчжуры, Ву Ненг с подачи императора возглавил армию. Наиболее ценной реликвией в моей семье — на самом деле единственной реликвией — является 2000-страничный трактат, написанный Ву Ненгом, об И-Цзин, или Книге перемен, одном из старейших китайских текстов. Экземпляр в кожаном переплете с иероглифом "Чуа" на обложке сейчас лежит в моей гостиной на видном месте — на кофейном столике.

Все мои дедушки родились в Фуцзяни, но в 1920–1930-х годах они по разным причинам сели в лодки и отправились на Филиппины, где, как им казалось, было больше возможностей. Отец моей мамы — добрый, кроткий школьный учитель — ради поддержания семьи стал торговать рисом. Он не был религиозен, в бизнесе особо не преуспевал. Его жена, моя бабушка, была необычайной красавицей и благочестивой буддисткой. Несмотря на антиматериалистическое учение бодхисатвы Гуаньинь[1], ей всегда хотелось, чтобы ее муж был более успешным.

Отец моего папы, добродушный торговец рыбной пастой, также не был религиозным и успешным в бизнесе. Его жена, моя бабушка Леди Дракон, сколотила состояние после Второй мировой войны — сначала на пластике, а затем на инвестициях в золотые слитки и бриллианты. Разбогатев — в этом ей помогло производство пластиковой упаковки для *Johnson&Johnson*, — она переехала в большое поместье в одном из самых престижных районов Манилы. Вместе с моими дядьями она принялась скупать стеклянные вещицы Тиффани, Мэри Кассат и Брака, а также квартиры в Гонолулу. Еще она стала протестанткой и пользовалась столовыми приборами вместо палочек, чтобы больше походить на американцев.

Моя мама родилась в Китае в 1936 году и приехала на Филиппины, когда ей было два года. Во время японской оккупации Филиппин в младенчестве умер ее брат, и я никогда не забуду, как она описывала япон-

1 Персонаж китайской мифологии, божество в женском обличии, спасающее людей от всевозможных бедствий.

ских солдат, которые держали открытым рот ее дяди, чтобы вода могла беспрепятственно течь в его горло, и смеялись, что он вот-вот лопнет, словно слишком надутый воздушный шар. Моя мать помнит, как бежала за американскими джипами, когда в 1945 году генерал Дуглас Мак-Артур освободил Филиппины, и дико радовалась, поскольку солдаты-освободители разбрасывали по округе банки с тушенкой. После войны моя мать поступила в среднюю школу к доминиканцам, где и стала католичкой. В конечном итоге она окончила Университет св. Томаса круглой отличницей и получила красный диплом по специальности "химическое машиностроение".

Мой отец был из тех, кто хотел эмигрировать в Америку. Блестящий математик, влюбленный в астрономию и философию, он ненавидел предательский и стяжательский мир своей семьи и пластикового бизнеса и наотрез отказывался от любого плана, который строили на его счет. Еще будучи мальчишкой, он отчаянно хотел добраться до Америки, и, когда Массачусетский технологический институт принял его заявление, мечта сбылась. В 1960-м он сделал предложение моей маме, и позже, в том же году, они переехали в Бостон, не зная в Америке ни души. Живя только на студенческие стипендии, они первые две зимы никак не могли согреться и заворачивались в одеяла, чтобы было теплее. Свою кандидатскую диссертацию мой отец защитил меньше чем за два года и стал ассистентом профессора в Университете Пердью в Уэст-Лафайетте, штат Индиана.

Живя на Среднем Западе, я и три моих младших сестры понимали, что мы отличаемся от остальных. Мы смиренно таскали в школу китайскую еду в термосах, а я так хотела бутербродов с ветчиной, которые ели мои сверстники! Дома мы должны были говорить по-китайски — в наказание за каждое случайно произнесенное английское слово мы получали удар деревянной палочкой. Каждый вечер мы зубрили математику и играли на фортепиано; нам никогда не разрешали оставаться у друзей с ночевкой. Каждый вечер, когда мой отец возвращался домой с работы, я забирала его ботинки и носки и приносила ему тапочки. Наши дневники должны были быть идеальными; в то время как наших друзей хвалили за четверки, для нас было немыслимо получить пять с минусом. В восьмом классе я заняла второе место в историческом конкурсе и пригласила семью на церемонию награждения. На этой же церемонии награждали кого-то, кто выиграл премию Киваниса[1]. После этого отец сказал мне: “Никогда больше не позорь меня так”.

Слушая подобные истории, мои друзья часто предполагают, что у меня было ужасное детство. Но это совсем не так. В своей особенной семье я нашла поддержку и доверие. Мы вместе были иноземцами, мы вместе открывали Америку, в процессе становясь американцами. Я помню, как мой отец работал каждый день до трех часов ночи — так усердно, что даже не замечал, когда кто-то из нас входил

1 Национальная школьная премия за особые достижения в науках.

в комнату. Но также я помню, как счастлив он был, знакомя нас с такос, сэндвичами с говядиной, *Dairy Queen*[1] и шведским столом, не говоря уже о катании на санках и лыжах, ловле крабов и походах. Я помню мальчишку из выпускного класса, который делал "азиатские" глаза и ржал над тем, как я произношу слово "ресторан" ("рестОУран") — в то время я как раз сражалась со своим китайским акцентом. Но также я помню герлскаутов и хулахупы, американские горки и публичные библиотеки, победу в конкурсе сочинений от организации "Дочери американской революции" и гордость от того, что в один знаменательный день мои родители натурализовались.

В 1971 году мой отец принял предложение калифорнийского университета в Беркли, мы упаковали вещи и переехали на Запад. Мой отец отрастил волосы и начал носить пиджаки с пацификом на лацкане. Затем он заинтересовался коллекционированием вин и построил для этого погреб на тысячу бутылок. Поскольку благодаря своей теории хаоса папа стал известен, мы начали путешествовать по миру. Свой первый год в средней школе я провела в Лондоне, Мюнхене и Лозанне, а еще папа свозил нас на Северный полюс.

Но мой отец был также китайским патриархом. Когда зашла речь о поступлении в колледж, он заявил, что я буду жить дома и ездить в Беркли (куда меня уже приняли), и никак иначе. Никаких кампусов

1 Популярное в США мороженое.

и никакого права выбора. Не подчинившись ему, как сам он не подчинился своей семье, я “забыла” о его предписании и втайне подала заявление в известный колледж на Восточном побережье. Когда я сказала отцу, что именно сделала — и что меня приняли в Гарвард, — его реакция меня удивила. Буквально за ночь он прошел путь от гнева к гордости. Позже он был в равной степени горд и когда я закончила Гарвардскую школу права, и когда Мишель, его средняя дочь, закончила Йель. Как никто другой он гордился (хотя, возможно, и немного грустил), когда его третья дочь Кэтрин уехала из дома в Гарвард, чтобы окончить его доктором медицины.

Америка меняет людей. Когда мне было четыре года, папа сказал: “Ты выйдешь замуж за белого только через мой труп”. Но закончилось все тем, что я вышла замуж за Джеда, и теперь они с отцом лучшие друзья. Когда я была ребенком, мои родители не сочувствовали инвалидам. В большинстве азиатских стран увечья — это позор, поэтому, когда моя самая младшая сестра Синтия родилась с синдромом Дауна, мама плакала буквально каждый день, а некоторые наши родственники уговаривали нас отправить Синтию в специализированный интернат на Филиппинах. Но моя мать встретилась с дефектологами и другими родителями детей-инвалидов и уже вскоре проводила дни, терпеливо разгадывая вместе с Синди головоломки и обучая ее рисованию. Когда сестра пошла в начальную школу, мама учила ее читать и зубрила вместе с ней таблицу умножения. На сегодня Синтия — обладательница двух золотых медалей по плаванию, заработанных на Паралимпийских играх.

Единственное, что заставляет меня слегка жалеть и переживать о том, что я не вышла замуж за выходца из Китая, так это то, что я пустила по ветру четыре тысячи лет цивилизации. Но большая часть меня чувствует огромную благодарность за те творческие возможности и свободу, что дала мне Америка. Мои дочери не чувствуют себя здесь чужаками. А я иногда чувствую. Но для меня это не столько бремя, сколько привилегия.

Глава 5
О крахе поколений

Я и мои родители через два года после их переезда в Америку

Один из моих самых больших страхов — семейный упадок. Старая китайская пословица гласит: "Процветание не длится дольше трех поколений". Держу пари, что, если кто-то с эмпирическими знаниями проведет исследование того, насколько преуспели разные поколения одной семьи за последние пятьдесят лет, он выявит удивительную закономерность в среде китайских эмигрантов, которые были удачливы настолько, что окончили университеты или стали высококвалифицированными рабочими. Картина будет выглядеть примерно так.

- Поколение эмигрантов вроде моих родителей работало тяжелее всего. Многие начали свою жизнь в Соединенных Штатах почти без денег, но безостановочно трудились до тех пор, пока не становились успешными инженерами, учеными, врачами, преподавателями или бизнесменами. Как родители они были необычайно строгими и бережливыми (“Не выбрасывайте остатки еды!”, “Почему вы используете так много порошка для посудомоечной машины?”, “Тебе не нужно в парикмахерскую, я подстригу тебя еще лучше”). Они вкладывали деньги в недвижимость. Они много не пили. Все, что они делали и зарабатывали, было направлено на образование и будущее их детей.

- Следующее (мое) поколение, родившееся в Америке, как правило, стремилось к высоким целям. Обычно его представители играли на пианино и/или скрипке. Они поступали в университеты Лиги плюща или в те, что входят в десятку лучших. Они становились профессионалами — юристами, врачами, банкирами, телеведущими — и превосходили своих родителей по уровню доходов. Отчасти это объясняется тем, что они начинали, имея на руках больше денег, и еще тем, что семьи так много в них инвестировали. Они не такие скромные, как их родители. Они полюбили коктейли. Женщины стали чаще выходить замуж за белых мужчин. И вне зависимости от пола эмигранты второго поколения не так строги к своим детям, как их родители были строги к ним самим.

- Третье поколение (София и Лулу) — то, из-за которого я не сплю ночами от беспокойства. Благодаря тяжелому труду их родителей и бабушек с дедушками они родились в величайшем комфорте, на верхушке среднего класса. Даже у маленьких детей будут книги в твердом переплете (почти криминальная роскошь, с точки зрения родителей-эмигрантов). У них будут богатые друзья, дающие взятки за то, чтоб им поставили четыре с минусом. Они могут учиться или не учиться в частных школах, но в любом случае они будут любить дорогую модную одежду. Наконец, и с этим самые большие проблемы, они начнут думать, что у них есть собственные права, гарантированные американской конституцией, и, следовательно, будут чаще не подчиняться родителям и игнорировать их карьерные советы. Короче, все факты говорят о том, что именно с этого поколения начинается крах.

Впрочем, не в моем случае. С того момента как родилась София, я вглядывалась в ее симпатичное и умное личико, и меня переполняла решимость не дать этому произойти с ней, не вырастить слабого ребенка, качающего права, не позволить моей семье прийти в упадок.

Это было одной из причин, по которой я настаивала, чтобы София и Лулу занимались академической музыкой. Я знала, что не могу искусственно заставить их чувствовать себя бедными эмигрантскими детьми. Никак нельзя было скрыть тот факт, что жили мы в большом старом доме, владели двумя автомобилями, а во время отпусков останавливались в прекрасных отелях. Но я могла сделать так, чтобы София и Лулу были глубже и образованнее, чем мои родители и я сама. Академическая музыка — это противоположность краха, лени, пошлости и испорченности. Для моих детей она была возможностью добиться того, чего не добилась я. Но это также связывало их с высочайшей культурой моих предков.

В моей антиупадочной кампании были и другие составляющие. Как и мои родители, я требовала, чтобы София и Лулу знали китайский и были отличницами. "Всегда трижды проверяйте свои экзаменационные ответы, — говорила я им. — Выискивайте слова, которые не знаете, и запоминайте точные определения". Чтобы убедиться, что София и Лулу не станут испорченными и порочными, как Римская империя накануне краха, я также настаивала на их занятиях физическим трудом.

"Когда мне было четырнадцать, я лично с помощью кирки и лопаты вырыла плавательный бассейн для моего отца", — неоднократно рассказывала я дочерям. И это правда. Бассейн был меньше метра в глубину и три метра в диаметре и больше походил на чан, но я в самом деле выкопала его на заднем дворе нашей хижины на озере Тахо, на покупку которой папа копил четыре года. “Каждое субботнее утро, — любила повторять я, — я пылесосила одну половину дома, а моя сестра пылесосила другую. Я мыла туалеты, выпалывала сорняки с газона и подстригала кусты. Однажды я построила для папы сад камней: мне пришлось таскать валуны, каждый из которых весил больше двадцати килограммов. Поэтому я такая сильная”.

Поскольку я хотела, чтобы девочки занимались музыкой так много, как только возможно, я не просила их подстригать кусты или рыть бассейны. Но я старалась сделать так, чтобы они как можно чаще поднимали тяжести — выносили мусор по воскресеньям и таскали чемоданы во время путешествий или переполненные корзины с грязным бельем вниз и вверх по лестнице. Любопытно, что у Джеда были противоположные желания. Он переживал, когда видел девочек, таскающих тяжести, так как беспокоился за их здоровье.

В дополнение к урокам, которые я давала девочкам, я постоянно вспоминала, что говорила мне моя мама, когда хотела пожурить: “Будь честной, будь скромной, будь простой”. На самом деле она, конечно, имела в виду: “Убедись, что ты занимаешь первое место, а до тех пор будь скромнее”.

Одним из основных принципов моего отца было: “Никогда не жалуйся и не извиняйся. Если что-то в школе кажется несправедливым, просто трудись в два раза тяжелее и будь в два раза лучше". Эти принципы я также постаралась привить Софии и Лулу.

Наконец, я требовала от девочек больше уважения к себе, как того требовали от меня мои родители. Но именно в этом я преуспела меньше всего. Повзрослев, я приходила в ужас от того, что родители могут что-то во мне не одобрить. Однако с Софией и особенно с Лулу все было иначе. Кажется, Америка привила им то, что не свойственно китайской культуре. В китайской культуре дети не задаются вопросами, им в голову не приходит не подчиниться родителям или хамить им. В американской же культуре — в книжках, сериалах и фильмах — дети бесконечно дерзки и демонстрируют собственную независимость. Как правило, это родителям надо преподать урок жизни — с помощью их детей.

Глава 6
Круг добродетели

С тремя первыми учителями музыки Софии не особенно повезло. Первой, с которой София познакомилась в три года, была суровая пожилая болгарка по имени Элина, жившая по соседству. Она предпочитала бесформенные юбки и гольфы и, казалось, несла на своих плечах горести всего мира. Придя в наш дом на первый урок, она час играла на фортепиано, пока мы с Софией сидели на диване и переживали эту мучительную пытку. Когда урок закончился, мне показалось, что мою голову засунули в духовку; София же играла с бумажными куклами. Я боялась сообщить Элине, что ее методика не сработала, так как опасалась, что она с плачем бросится с моста. Так что я сказала ей, что мы будем счастливы взять еще один урок и что я позвоню ей в ближайшее время.

Вторым учителем был Эм Джей — бывший военный, своеобразный маленький, коротко стриженный человечек в круглых очках. Мы даже не могли сказать, был Эм Джей мужчиной или женщиной, но он всегда носил костюм и галстук-бабочку, и мне нравился его деловой стиль. Когда мы встретились, он уверенно сказал мне, что София музыкально одарена. К сожалению, через три недели занятий Эм Джей исчез. В один прекрасный день, когда мы приехали к нему домой на урок, там не оказалось ни следа его пребывания. Вместо него в доме жили незнакомые люди и стояла совершенно другая мебель.

Нашим третьим учителем был вкрадчивый и простоватый Ричард, парень с широкими бедрами. Он сообщил, что у него есть двухлетняя дочь. Во время нашей первой встречи он прочитал мне и Софии большую лекцию о том, как важно жить сегодняшним днем и играть для себя. В отличие от прочих учителей он сказал, что не верит в учебники, написанные другими, и вместо этого делает акцент на импровизации и самовыражении. Ричард заявил, что в музыке нет никаких правил, только чувства, что ни у кого нет права судить, что правильно, а что нет и что мир пианистов был разрушен меркантильностью и беспощадной конкуренцией. Бедняга; подозреваю, он даже не знал, что это такое.

Как у старшей дочери китайских эмигрантов у меня не было времени на импровизации и изобретение собственных правил. У меня есть фамильная честь, которую надо поддерживать, и пожилые родители, которым нужно мною гордиться. Мне нравятся четкие цели и конкретные мерила успеха.

Поэтому мне понравился метод преподавания Сузуки[1]. На курс полагается семь учебников, и нужно начинать с первого. В каждом учебнике от десяти до пятнадцати пьес, и вам необходимо выучить их все по порядку. Упорно работающие дети разучивают по одной композиции в неделю, в то время как ленивые зубрят одну и ту же вещь неделями, а то и месяцами и иногда бросают занятия, поскольку им становится скучно. В любом случае суть в том, что одни дети учатся на книгах Сузуки *гораздо быстрее других*. Так что трудолюбивый четырехлетка может заниматься по учебнику для шестилеток, а шестилетка — штудировать программу для шестнадцатилетних и так далее. Именно поэтому система Сузуки славится тем, что на ней вырастают вундеркинды.

Именно это и произошло с Софией. Когда ей исполнилось пять, мы уже работали с Мишель, потрясающей учительницей системы Сузуки; у нее была большая фортепианная студия в Нью-Хейвене, при *Neighborhood Music School*. Терпеливая и проницательная Мишель начала заниматься с Софией — она оценила ее задатки, но считала, что можно добиться большего, и именно она привила девочке любовь к музыке.

Метод Сузуки идеально подходил Софии. Она по-настоящему быстро училась и могла долго оставаться собранной. Также у нее было серьезное культурное

1 *Шиничи Сузуки* — всемирно известный преподаватель и философ, разработавший собственную методику раннего музыкального развития, которая базируется на повторении, прослушивании музыки, родительской поддержке и ответственности.

преимущество: большинство учеников в школе происходили из либеральных западных семей; их родители были безвольными и снисходительными, когда речь заходила о практике. Я помню девочку по имени Обри, которую заставляли упражняться по минуте в день за каждый год ее возраста. Ей было семь. Других детей за упражнения вознаграждали мороженым или большими наборами *Lego*. А многих избавляли от практики на дни школьных занятий.

Ключевой особенностью метода Сузуки является то, что родители должны присутствовать на каждом уроке, а затем, уже дома, следить за выполнением упражнений. Это значит, что каждый раз, когда София садилась за фортепиано, я была рядом и тоже получала образование. В детстве я брала уроки игры на фортепиано, но у моих родителей не было денег, чтобы нанять хорошего учителя. Так что занималась я с соседкой, которая периодически во время наших занятий проводила вечеринки, где продавала пластиковые контейнеры[1]. Благодаря учителю Софии я начала изучать теорию и историю музыки, которых не знала раньше.

Под моим присмотром София практиковалась минимум полтора часа ежедневно, включая выходные. В дни школьных занятий мы работали в два раза дольше. Я научила Софию запоминать все, даже если этого не требовалось, и ни разу не заплатила ей ни пенни. Таким образом мы и продирались сквозь книги Сузуки.

1 Обычная для США ситуация: распространитель продукции *Tupperware* устраивал у себя дома вечеринки-презентации, в ходе которых продавал свой товар.

Другие родители ставили перед собой цель проходить по учебнику в год. Мы же начали с *Twinkle, Twinkle*[1] (первая книга), через три месяца София уже играла Шумана (вторая книга), а через полгода исполняла сонатину Клементи (третья книга). И мне все еще казалось, что мы продвигаемся слишком медленно.

Кажется, настал подходящий момент для признания. Правда в том, что Софии не всегда нравилось, что я ее мать. По ее словам, руководя занятиями, я и в самом деле говорила ей следующее.

1. Боже мой, ты играешь все хуже и хуже.
2. Считаю до трех и хочу услышать *мелодичность*!
3. Если следующая попытка не будет ИДЕАЛЬНОЙ, я соберу ВСЕ ТВОИ ИГРУШКИ И СОЖГУ ИХ!

Сейчас эти воспитательные методы кажутся немного экстремальными. С другой стороны, они были крайне эффективными. Мы с Софией отлично играли в дочки-матери. В ней были зрелость, терпение и сочувствие. Она приняла на веру то, что я знала, как будет лучше для нее, и не реагировала, когда я злилась и говорила обидные вещи.

Когда Софии было девять, она выиграла местный фортепианный конкурс за исполнение пьесы Эдварда Грига "Бабочка". Это одна из шестидесяти шести "Лирических пьес" норвежского композитора; они представляют собой короткие этюды, каждый из которых должен вызывать у слушателя определенное на-

1 Популярная английская колыбельная.

строение или образ. “Бабочка” символизирует легкость и беззаботность, но, чтобы пьеса звучала именно так, потребовались многие часы изнурительной работы.

Китайские родители понимают, что не должно быть никакого веселья до тех пор, пока ты в чем-то не преуспеешь. Чтобы чего-то добиться, нужно тяжело работать, чего дети обычно не хотят, и потому так важно не принимать во внимание их желания. Это часто требует от родителей силы духа, потому что ребенок будет сопротивляться; в начале всегда тяжело, и именно в этот момент ломаются “западники”. Но если все делать правильно, китайская стратегия образует круг добродетели. Для достижения блестящих результатов необходима практика, практика и еще раз практика; многократные механические повторения в Америке недооценивают. Как только ребенок начинает в чем-то преуспевать — неважно, в математике, игре на фортепиано, физкультуре или балете, — он или она получает похвалы, восхищение и удовлетворение. Это помогает выстроить доверительные отношения и делает веселым невеселое занятие. Что в свою очередь облегчает родителям возможность нагрузить ребенка еще больше.

На выступлении победителей, в котором принимала участие София, я смотрела, как легко, словно крылья бабочки, ее пальцы летают по клавишам, и была преисполнена гордости, радости и надежды. Я не могла дождаться наступления следующего дня, чтобы вновь начать заниматься с Софией и выучить вместе с ней еще больше музыки.

Глава 7
Тигриная удача

Мы с Джедом в день свадьбы

Как и каждая американоазиатская женщина в возрасте около тридцати лет, я носилась с идеей написать основанный на истории моей семьи эпический роман о взаимоотношениях матерей и дочерей на протяжении нескольких поколений. Это было еще до того, как родилась София; я тогда жила в Нью-Йорке, силясь понять, что я забыла в адвокатской фирме на Уолл-стрит.

Всю жизнь я принимала важные решения по неправильным поводам, но, слава богу, мне везло. В Гарварде я занималась прикладной математикой, поскольку думала, что это порадует моих родителей; я бросила ее, потому что папа, глядя, как я бьюсь над задачей во время зимних каникул, сказал, что я пытаюсь прыгнуть выше головы, и тем самым спас меня. Но потом я автоматически переключилась на экономику, поскольку та казалась мне серьезной наукой. Я написала диссертацию о маятниковой миграции семей с двумя работающими родителями, и тема показалась мне такой скучной, что я не могла вспомнить ни одного своего вывода.

В школу права я поступила в основном потому, что не хотела идти в медицину. На юридическом я прекрасно училась, благодаря тому что работала на износ. Меня даже взяли на работу в страшно престижный журнал *Harvard Law Review*, где я познакомилась с Джедом и стала выпускающим редактором. Но я переживала из-за того, что адвокатура — это не мое. Права преступников не беспокоили меня так, как других студентов, и я буквально деревенела всякий раз, когда меня вызывал профессор. Также я по природе своей не была склонна к скепсису и сомнениям; я всего-навсего хотела законспектировать лекцию профессора и выучить ее наизусть.

Выпустившись из университета, я устроилась на работу в адвокатскую фирму на Уолл-стрит, потому что это был путь наименьшего сопротивления. Я выбрала корпоративное право, поскольку не любила судебные слушания. Я по-настоящему заслуживала этой работы; бесконечные рабочие дни не портили мне настроение, я всегда хорошо понимала, чего хотят клиенты, и переводила их желания на язык юристов. Но все три года, что я работала в фирме, мне казалось, что я самозванка и в своем костюме выгляжу нелепо. Во время подготовительных сессий с инвестиционными банкирами, пока остальные только и думали что о многомиллиардных сделках, я вдруг понимала, что думаю об ужине, и никак не могла заставить себя решить, а должно ли предложение:

> *Любое положение, содержащееся в документе, который уже является или может быть признан неотъемлемой частью заявки, должно быть изменено или заменено в рамках предложения/оферты в соответствии с положением, содержащимся в данном (документе) или в любом другом позднее составленном документе, который также включен в настоящий документ...* —

начинаться со слов "Для лучшего понимания компании".

Джед, напротив, обожал юриспруденцию, и этот контраст делал мою профнепригодность еще более вопиющей. В той юридической фирме, специализировавшейся на поглощениях периода 1980-х, он любил писать отчеты, судиться и добиваться успеха. Затем он вступил в Американскую коллегию адвокатов и засудил парней из мафии, и это ему тоже понравилось. Ради развлечения он написал стостраничную статью о праве на частную жизнь — точнее, статья буквально написалась сама собой, — и ее напечатали в том самом *Harvard Law Review*, где мы вместе работали, будучи студентами (и где практически никогда не публиковали тексты, написанные не профессорами). Следующим номером стал звонок декана Йельской школы права, и, хотя это я была тем человеком, который всегда хотел стать преподавателем (думаю, мне хотелось пойти по стопам отца), именно Джед за год до того, как родилась София, получил должность профессора в Йеле. Для него это стало работой мечты. Он был единственным молодым специалистом на факультете, золотым мальчиком, окруженным блестящими коллегами, которые думали так же, как он.

Я всегда считала себя человеком с богатым воображением и множеством идей, но в обществе коллег Джеда мой мозг превращался в желе. Когда мы только переехали в Нью-Хейвен — я была в декретном отпуске из-за рождения Софии, — Джед сказал своим факультетским друзьям, что я тоже подумываю о профессуре. Но, когда они спросили, какие области права меня интересуют, я повела себя как жертва инсульта. Я так нервничала, что не могла разговаривать или думать. Когда я все-таки заставила себя говорить, моя речь была невозможно корявой и ничто не связывало слова в предложениях.

Тогда-то я и решила написать эпический роман. К сожалению, у меня не было к этому никаких способностей, о чем мне намекнуло вежливое покашливание и хихиканье Джеда, читавшего мою рукопись. Более того, Максин Гонг Кингстон, Эми Тэн и Юнг Чанг своими книгами "Воительница", "Клуб радости и удачи" и "Дикие лебеди" положили меня на обе лопатки. Поначалу мне было горько и обидно, но затем я поборола эти чувства и заболела новой идеей. Благодаря своим знаниям в области юриспруденции и семейному опыту я могла бы написать о законах и этнической принадлежности людей в развивающихся странах. В принципе мне всегда нравились беседы об этносе. А закон и технология развития, которую в то время изучали очень немногие люди, были моей специальностью.

Звезды выстроились в правильном порядке. Сразу после рождения Софии я написала статью о приватизации, национализации и этничности в Латинской Америке и Юго-Восточной Азии, и ее опубликовала *Columbia Law Review*. Вооружившись этой статьей, я начала искать преподавательскую работу по всей стране. В припадке ошеломляющего безрассудства я согласилась на собеседование с комиссией по найму Йеля. Я встретилась с отборщиками за обедом в пугающем йельском заведении *Mory's* и была настолько косноязычной, что оба профессора извинились и рано ушли, а декан школы права оставшиеся два часа рассказывал об итальянском влиянии в архитектуре Нью-Хейвена.

На факультет меня не позвали, то есть обед я провалила. Иными словами, коллеги Джеда меня отвергли. Это было не здорово, поскольку осложнило процесс моей социализации.

Но затем я получила другое серьезное предложение. Когда Софии было два года, юридическая школа при университете Дьюка предложила мне преподавательскую должность. На радостях я тут же согласилась, и мы переехали в Дурхам, Северная Каролина.

Глава 8
Лулу и ее музыкальный инструмент

Лулу с ее первой скрипкой

Я обожала Дьюк. Мои коллеги были великодушными, добрыми и умными, и мы быстро сдружились. Единственной помехой было то, что Джед все еще работал в Йеле, располагавшемся в пяти сотнях миль от нас. Но мы справились с этим, проведя несколько лет в разъездах между Дурхамом и Нью-Хейвеном, хотя Джед, конечно, ездил больше меня.

В 2000 году, когда Софии было семь лет, а Лулу четыре, меня пригласили посетить юридическую школу

Нью-Йоркского университета. Мне была ненавистна сама мысль об отъезде из Дьюка, но Нью-Йорк был намного ближе к Нью-Хейвену, так что мы упаковали вещи и на полгода перебрались на Манхэттен.

Это были напряженные полгода. "Посетить" в юридическом мире означает присоединиться к факультету на экспериментальной основе. Обычно это собеседование длиной в семестр, во время которого ты пытаешься впечатлить всех и каждого своим умом и в то же время подлизываешься ("Но у меня есть с вами свои счеты, Бернард. Нет ли у вашей модели сдвига системы понятий куда более далеко идущих последствий, чем вы думали?" или "Я не уверена, что сноска 81 в вашей откровенно опасной статье "Закон и Лакан" меня полностью убедила. Вы не против, если я поручу изучить ее своим студентам?").

Что касается школ, то у Манхэттена в этом смысле была репутация, заставлявшая волосы вставать дыбом. Мы с Джедом познакомились с третьеклассниками, готовившимися к экзаменам, и малышами с трастовыми фондами и их собственными фотографическими портфолио. В конечном итоге мы решили отправить Софию в государственную школу *P.S.3*, которая находилась через дорогу от нашей съемной квартиры. Для Лулу мы нашли подготовительную школу, однако ей пришлось пройти через ряд вступительных экзаменов.

В разместившейся в здании красивой церкви с витражами подготовишке, куда я очень хотела отправить Лулу, директриса приемной комиссии вышла ко мне уже через пять минут, чтобы спросить, умеет ли моя дочь считать, — не то чтобы в этом было что-то не то, просто ей хотелось удостовериться. "О боже мой, конечно же, она умеет считать! — воскликнула я в ужасе. — Оставьте меня с ней на секундочку".

Я оттащила дочь в сторонку. "Лулу! — прошипела я. — Что ты делаешь? Это тебе не шутки". Лулу нахмурилась: "Я считаю в уме".

— Ты не можешь считать только в уме — тебе нужно проговаривать это вслух, чтобы показать этой даме, что ты умеешь считать! Они не примут тебя в школу, если ты этого не покажешь.

— А я не хочу в эту школу.

Как уже говорилось, я не верю в подкуп. И ООН, и Организация экономического сотрудничества и развития имеют ратифицированные конвенции против взяточничества; кроме того, вообще-то это дети должны платить родителям. Но я была в отчаянии. "Лулу, — шептала я. — Если ты сделаешь это, я дам тебе конфетку и свожу в книжный магазин". Я затащила дочь обратно. "Теперь она готова", — сказала я радостно.

На сей раз мне позволили сопровождать Лулу на экзамен. Директриса поставила на стол четыре кубика и спросила Лулу, сколько их.

Лулу посмотрела на них, а затем сказала: "Одиннадцать, шесть, десять, четыре". Я похолодела и подумала, не стоит ли мне схватить Лулу и бежать оттуда прочь, но директриса спокойно добавила еще четыре кубика: “А эти, Лулу, ты сосчитать сможешь”? На сей раз Лулу смотрела на кубики чуть дольше, а затем сосчитала: “Шесть, четыре, один, три, ноль, двенадцать, два, восемь”. Я не могла этого вынести: “Лулу, прекрати!”

— Нет-нет, прошу вас, — директриса подняла руку, весело глядя на меня, а затем вновь повернулась к Лулу. — Я смотрю, Луиза, тебе нравится все делать по-своему. Я права? — Лулу стрельнула на меня глазами — она знала, что я недовольна, — а затем коротко кивнула.

— Здесь восемь кубиков, — сказала директриса как бы вскользь. — Ты все сделала правильно — пусть даже твой ответ был таким необычным. Это замечательно — хотеть обрести собственный путь. И это как раз то, что мы приветствуем в нашей школе.

Я выдохнула и расслабилась. Я бы сказала, что той женщине Лулу понравилась. На самом деле она нравилась многим людям — было нечто притягательное в ее неспособности заискивать. Слава богу, подумала я, мы живем в Америке, где — вне всякого сомнения, благодаря войне за независимость — ценят бунт. В Китае Лулу отправили бы в трудовой лагерь.

По иронии судьбы, Лулу влюбилась в свою нью-йоркскую школу, в то время как София, которая всегда была немного стеснительной, переживала тяжелые времена. На родительском собрании ее учительница сказала нам, что, хотя у нее еще не было лучшей ученицы, она очень переживает из-за замкнутости Софии, поскольку каждый обед девочка проводит в одиночестве, бродя по двору с книгой. Мы с Джедом были в панике, но, когда спрашивали Софию о школе, дочь настаивала, что ей очень весело. Мы с трудом пережили тот семестр. Мне даже удалось получить предложение от Университета Нью-Йорка, которое я почти что приняла. Но затем произошла серия неожиданных событий. Я опубликовала юридический обзор на тему демократизации и этничности в развивающихся странах, который привлек внимание политических кругов. Из-за этой статьи Йель предложил мне стать штатным профессором. Мы перестали быть кочевниками, Джеду больше не надо было разъезжать между городами, а София и Лулу поступили в начальную школу Нью-Хейвена.

К тому времени Лулу также начала брать уроки игры на фортепиано у Мишель, учительницы Софии, в *Neighborhood Music School*. Мне казалось, что я веду двойную жизнь. Я поднималась в пять утра и полдня изображала из себя профессора Йельского университета, а затем неслась домой ради ежедневных музыкальных занятий, в которых Лулу неизменно участвовала только благодаря угрозам, шантажу и вымогательству.

Как оказалось, Лулу была музыкантом от природы с практически абсолютным слухом. К сожалению, она ненавидела зубрежку и не могла сосредоточиться во время занятий, предпочитая разговаривать о птицах за окном или о морщинах на моем лице. Все же с помощью метода Сузуки она быстро прогрессировала и была отличной исполнительницей. Во время выступлений она не была столь же безупречной, как ее сестра, но все, чего ей не хватало с точки зрения техники, она с лихвой возмещала стилем и музыкальностью.

Примерно в то же время я решила, что Лулу стоит опробовать другой музыкальный инструмент. Друзья с детьми постарше говорили мне, что будет лучше, если у девочек появятся разные интересы, поскольку это сведет к минимуму конкуренцию между ними. Это было особенно важно потому, что София становилась все лучше как пианистка, выигрывала одну за другой награды, а учителя, церкви и местные организации стали приглашать ее выступить у них. Куда бы мы ни пошли, Лулу выслушивала восторженные отзывы о своей сестре.

Разумеется, возник вопрос, каким должен быть новый инструмент Лулу. Мои свекровь со свекром, либеральные евреи-интеллектуалы, обладали собственным мнением по этому поводу. Они знали, что у Лулу непростой характер, и не раз слышали вопли и крики во время наших с ней занятий. Они убеждали меня умерить пыл. “Что ты думаешь о блок-флейте?” — спросил мой свекор Сай. Крупный, крепко сбитый мужчина, похожий на Зевса, Сай владел процветающей психотерапевтической практикой в Вашингтоне. Он был очень музыкален и обладал мощным глубоким голосом. На самом деле прекрасный голос был и у сестры Джеда, что говорило о том, от кого именно Софии и Лулу достались такие гены.

“Блок-флейта? — недоверчиво переспросила моя свекровь Флоренс, услышав о предложении Сая. — Как скучно”. Флоренс была арт-критиком и жила в Нью-Йорке. Недавно она опубликовала биографию Клемента Гринберга — скандального критика современного искусства, открывшего Джексона Поллока и американский абстрактный импрессионизм. Флоренс и Сай развелись двадцать лет назад, и свекровь не соглашалась ни с одним словом свекра: “Может, что-нибудь более впечатляющее из гамелана? Может, она научится играть на гонге?”

Флоренс была элегантной космополиткой и искательницей приключений. Много лет назад она ездила в Индонезию, где была очарована яванским гамеланом — маленьким оркестром из 15–20 музыкантов, сидящих на полу по-турецки и играющих на ударных инструментах вроде кемпула (набора висячих гонгов разного звучания), или сарона (большого металлического ксилофона), или бонанга (кучки чайников, на которых играли как на барабанах, только звучали они намного звонче).

Любопытно, что французский композитор Клод Дебюсси так же отреагировал на гамелан, как и моя свекровь. Как и для Флоренс, гамелан стал для Дебюсси откровением. В 1895 году он писал своему другу, что яванская музыка “способна выразить каждый оттенок, даже самый невыразимый”. Позже он опубликовал статью, где назвал яванцев “удивительными людьми, которые музицируют так же, как мы дышим. Они учатся у вечного ритма моря, шума ветра в кронах деревьев и тысячи других звуков, которые они слушают с большим вниманием, не прибегая к помощи сомнительных трактатов".

Как по мне, так Дебюсси просто переживал период увлечения экзотикой. То же самое произошло и с другими его французскими товарищами — Анри Руссо и Полем Гогеном, постоянно писавшими полинезийских туземцев. Особенно отвратительная вариация этого феномена существует в современной Калифорнии: мужчины с "желтой лихорадкой", которые встречаются только с азиатскими женщинами, иногда с десятками женщин, вне зависимости от того, насколько те уродливы или из какой страны приехали. Для протокола: Джед до меня не встречался ни с одной азиаткой.

Возможно, причина того, что я не оценила гамелан в 1992 году во время поездки в Индонезию, кроется в том, что я боготворю трудности и рекорды. Не сосчитать, сколько раз я кричала Лулу: "Все ценное и стоящее является по-настоящему трудным. Знаешь, через что мне пришлось пройти, чтобы получить работу в Йеле?" Гамелан завораживает, поскольку эта музыка проста, неструктурирована и однообразна. А потрясающие композиции Дебюсси, напротив, отражают сложность, амбициозность, изобретательность, тонкий замысел, осознанное изучение гармонии, и да, влияние гамелана прослеживается в нескольких его работах. Но это все равно что сравнивать бамбуковую хижину, в которой есть своя прелесть, с Версальским дворцом.

В любом случае я отказала Лулу в гонге, как и в блок-флейте. Мои инстинкты противоречили мнению родителей Джеда. Я была уверена, что единственная возможность для Лулу выйти из тени ее умницы-сестры заключалась в игре на, возможно, еще более сложном инструменте, требующем еще более виртуозного владения. Поэтому я остановила свой выбор на скрипке. День, когда я приняла это решение — не посоветовавшись с Лулу и игнорируя советы других, — был отмечен печатью рока.

Глава 9
Скрипка

Китайцы раздражают многих тем, что в открытую сравнивают своих детей. Когда я росла, мне это не казалось таким ужасным, поскольку сравнение всегда было в мою пользу. Моя бабушка Леди Дракон — та, богатенькая, — откровенно выделяла меня из всех моих сестер. “Только посмотрите на этот плоский нос, — кудахтала она на семейных сборищах, указывая на кого-нибудь из моих сестер. — То ли дело Эми с ее фантастическим точеным носиком. Эми настоящая Чуа. А ее сестра больше взяла от матери и похожа на обезьяну”.

Правда, моя бабушка была экстремисткой. Однако китайцы делают подобные вещи постоянно. Недавно я была в китайской аптеке, и владелец сказал мне, что у него есть шестилетняя дочь и пятилетний сын. “Моя дочь — умница, — сказал он. — У нее есть только одна проблема: она *невнимательная*. А вот мой сын глупый". В другой раз моя подруга Кэтлин была на теннисном матче и завела разговор с китайской мамой, следившей за игрой своей дочери. Китаянка сказала Кэтлин, что ее дочь, студентка Брауна, скорее всего, проиграет. "Эта дочь — слабачка, — сказала она, качая головой. — Вот ее старшая сестра — другое дело. Она поступит в Гарвард".

Я знаю, что подобный родительский фаворитизм очень плох и отравляет детям существование. Но скажу две вещи в защиту китайцев. Во-первых, родительский фаворитизм можно найти в любой культуре. В Книге бытия Исаак выделяет Исайю, а Ребекка больше любит Иакова. В сказках братьев Гримм всегда есть трое детей, и к ним не относятся одинаково. С другой стороны, не все китайцы страдают фаворитизмом. В "Пяти китайских братьях"[1] нет никаких признаков того, что мать больше любит сына, проглотившего море, чем сына, у которого железная шея.

Во-вторых, я не уверена, что все родительские сравнения оскорбительны. Джед постоянно критикует меня за то, что я сравниваю Софию с Лулу. Я и в самом деле говорю Лулу: "Когда я прошу Софию что-либо сделать, она реагирует мгновенно. Поэтому она так быстро развивается". Но "западники" этого не понимают. Говоря подобные вещи, я не выделяю Софию; как раз напротив, я оказываю доверие Лулу. Уверена, что она способна делать все то же самое, что и София,

1 Детская книжка американской писательницы Клэр Хашет-Бишоп, в которой пересказывается китайская народная сказка.

и что она достаточно сильна, чтобы справиться с правдой. Также я знаю, что Лулу и сама сравнивает себя с сестрой. Поэтому я иногда так груба с ней. Я не позволю ей потакать своим внутренним комплексам.

Именно поэтому утром накануне первого урока Лулу с ее учителем по классу скрипки я сказала: "Запомни, Лулу, тебе только шесть лет. София выиграла свою первую награду за исполнительское мастерство, когда ей было девять. Думаю, ты сможешь добиться этого раньше".

Лулу отреагировала отвратительно, сказав, что соревнования она ненавидит и что даже не хочет играть на скрипке. Она отказывалась идти на занятие. Я угрожала выпороть ее и лишить ужина — что, кстати, все еще работало — и наконец увезла ее в *Neighborhood Music School*, где нас буквально спас преподаватель по методу Сузуки Карл Шугарт, к которому записали Лулу.

Мистеру Шугарту, опрятно выглядевшему блондину, было около пятидесяти, и он принадлежал к той породе людей, что лучше ладят с детьми, чем со взрослыми. С родителями он говорил отстраненно и был неловок, он едва мог смотреть нам в глаза. Зато с детьми он общался гениально: расслабленно, остроумно, вдохновенно и весело. Настоящий крысолов из *Neighborhood Music School*: тридцать его учеников, и Лулу в их числе, готовы были отправиться за ним куда угодно.

Секретом мистера Шугарта было то, что он "переводил" все технические подробности игры на скрипке в понятные детям образы. Вместо *legato*, *staccato* и *accelerando* он рассказывал о поглаживании пушистого меха мурлыкающей кошки, армии марширующих муравьев и мышах, которые катятся с холма на велосипедах. Я, помнится, удивлялась тому, как он разучивал с Лулу Юмореску №7 Дворжака. После легко запоминающегося вступления, которое люди по всему миру напевают, даже не подозревая об этом, следует слишком сентиментальная тема, которую нужно играть с трагикомически-преувеличенным пафосом, и как же объяснить это шестилетнему ребенку?

Мистер Шугарт сказал Лулу, что вторая тема грустная, но не такая, будто кто-то умер. Он попросил Лулу представить, что ее мама пообещала купить ей большое мороженое с двумя добавками, если она будет заправлять постель каждый день в течение недели, и что Лулу честно выполнила задание. Но, когда неделя закончилась, ее мама отказалась купить ей мороженое. Более того, она купила мороженое сестре Лулу, которая вообще ничего полезного не сделала. Это явно произвело на Лулу такое впечатление, что она сыграла Юмореску так, будто та была написана специально для нее. В тот день, слушая, как Лулу играет Юмореску — вы можете найти ее на *YouTube* в исполнении Ицхака Перлмана или Йо-Йо Ма, — я слышала и слова, которые мистер Шугарт "наложил" на музыку: "Я хочу мороженое, о, дай мне мороженое, где то мороженое, что ты обещала мне?"

Поразительно, что, хотя это я выбрала для Лулу скрипку, было очевидно, что между ними есть природное родство. С самого начала люди удивлялись тому, насколько естественной она была, когда играла, и насколько хорошо чувствовала музыку. На выступлениях класса мистера Шугарта она всегда блистала, и другие родители интересовались, насколько музыкальна наша семья и не надеется ли Лулу в будущем стать профессиональной скрипачкой. Они понятия не имели о кровопролитных домашних занятиях, когда Лулу и я сражались, словно животные в джунглях, тигр против кабана, и что чем больше она сопротивлялась, тем более агрессивной я становилась.

Субботы были главными днями. Целое утро мы проводили в музыкальной школе, которая просто лопалась от энергии и звуков двадцати различных музыкальных инструментов. Урок с мистером Шугартом был для Лулу не единственным; после него она сразу шла вместе с учителем в класс групповых занятий по методу Сузуки, где играла в дуэте с Софией. (Фортепианные уроки Лулу, от которых мы не отказались, проходили по пятницам.) По возвращении домой, невзирая на трехчасовой учебный блок, через который мы только что прошли, я часто пыталась провести еще одно занятие, чтобы на следующей неделе показать, как быстро мы учимся. Вечером, после того как Лулу засыпала, я читала трактаты, посвященные технике игры на скрипке, и слушала записи Исаака Штерна, Ицхака Перлмана или Мидори, пытаясь понять, что они делали, чтобы играть настолько хорошо.

Признаю, что такой график может показаться немного напряженным. Но я чувствовала, что бегу наперегонки со временем. В Китае дети занимаются по десять часов в день. Сара Чанг пробовалась в оркестр Зубина Меты[1], когда ей было восемь лет. Ежегодно какой-нибудь семилетка из Латвии или Хорватии побеждает в международных конкурсах, исполняя чудовищно сложный Скрипичный концерт Чайковского, и я не могла дождаться момента, когда услышу его в исполнении Лулу. Кроме того, я находилась в невыгодном положении, поскольку мой муж-американец был уверен, что детство — это веселье. Джеду все время хотелось играть с девочками в настольные игры или мини-гольф или, что еще хуже, поехать с ними в аквапарк с крутыми страшными горками. Мне же гораздо больше нравилось читать девочкам; мы с Джедом читали им каждый вечер, и это было наше самое любимое время дня.

Играть на скрипке по-настоящему трудно. На мой взгляд, это гораздо тяжелее, чем играть на фортепиано. Во-первых, нужно правильно держать инструмент — проблема, которой не возникает в случае с роялем. Вопреки тому, что может подумать нормальный человек, скрипка не держится левой рукой — это только так выглядит. Согласно книге "Искусство скрипичной игры" знаменитого преподавателя Карла Флешера, инструмент "должен размещаться на ключице" и "удерживаться на месте

1 Израильский дирижер.

левой половиной нижней челюсти", оставляя левой руке свободное пространство для движения.

Если вы думаете, что удерживать что-либо с помощью ключицы и нижней челюсти неудобно, то вы не ошибаетесь. Добавьте к этому деревянную накладку под подбородок и металлический "мостик", впивающийся в шею, и в результате получается "скрипичный поцелуй" — грубая красная отметина на шее скрипачей и альтистов, которую даже считают почетной.

Есть еще "интонация", то есть ваш настрой, — еще одна причина, по которой я считаю скрипку сложнее фортепиано как минимум для начинающих. В случае с фортепиано вы знаете, какую ноту можно извлечь, нажав на конкретную клавишу. В случае со скрипкой вам нужно разместить пальцы в строго отведенных точках на грифе — если вы отступите от одной из точек даже на миллиметр, вы не попадете в тон. И хотя у скрипки всего четыре струны, она производит 53 измеряемые полутоновыми интервалами смежных ноты и бесконечное множество оттенков звука в зависимости от конкретной струны и техники владения смычком. Часто говорят, что скрипка способна передать любую эмоцию и что этот музыкальный инструмент ближе всех к человеческому голосу.

Единственное, что роднит фортепиано со скрипкой, а также со многими видами спорта, — это то, что вы не сможете играть в совершенстве, если не научитесь расслабляться. Не расслабив руку, вы не сможете сделать хорошую подачу в теннисе или закинуть как можно дальше бейсбольный мяч. И точно так же вы не сможете извлекать медоточивые звуки, если задерете смычок слишком высоко или будете обрушиваться на струны — именно из-за этого у некоторых получаются ужасно скрипучие звуки. “Представь, будто ты тряпичная кукла, — говорил Лулу мистер Шугарт, — мягкая и расслабленная, и весь мир тебе по барабану. Ты настолько расслаблена, что твоя рука висит под тяжестью собственного веса... Позволь гравитации сделать свою работу... Хорошо, Лулу, хорошо”.

“РАССЛАБЬСЯ! — орала я дома. — Мистер Шугарт сказал: ТРЯПИЧНАЯ КУКЛА!” Я всегда изо всех сил старалась следовать указаниям мистера Шугарта, но с Лулу было непросто, поскольку в моем присутствии она становилась колючей и раздражительной.

Однажды во время занятия она разразилась: “*Прекрати*, мама. Просто *прекрати*”.

— Лулу, я молчу, — ответила я. — Я не сказала ни слова.

— Меня утомляет твой мозг, — сказала Лулу. — Я знаю, о чем ты думаешь.

— Я ни о чем не думаю, — возмутилась я. На самом деле я думала, что Лулу слишком высоко держит правый локоть, что ее движения неправильны и что ей нужно лучше оттачивать технику.

— Просто отключи свой мозг, — приказала Лулу. — Я вообще не буду играть до тех пор, пока ты его не выключишь.

Лулу всегда пыталась меня спровоцировать. Споры давали возможность отлынивать от занятий.

В тот момент я решила не кусаться. “О’кей, — сказала я спокойно, — как ты предлагаешь мне это сделать?” Передача в руки Лулу контроля над ситуацией иногда помогала снизить ее раздражение.

Лулу подумала об этом: “Подержись за нос несколько секунд”.

Удачный момент. Я подчинилась, и занятие возобновилось. Это был хороший день.

Мы с Лулу были несовместимы и одновременно неразрывно связаны. Когда девочки были маленькими, я завела файл в компьютере, куда слово в слово записывала достойные внимания разговоры. Вот диалог, который у нас с Лулу состоялся, когда ей было семь лет.

Я: Лулу, мы с тобой очень хорошие друзья, но очень странные.

Л.: Ага — странные и ужасные.

Я: !!

Л.: Я пошутила. *(Обнимает мамочку.)*

Я: Пойду запишу, что ты только что сказала.

Л.: Нет, не надо! Это звучит так злобно!

Я: Часть про объятия я тоже запишу.

Лучшим побочным продуктом моего экстремального воспитания было то, что София и Лулу стали очень близки: они были товарищами по оружию, бок о бок сражавшимися со своей властной фанатичной матерью. “Она обезумела”, — слышала я их шепот сквозь хихиканье. Но мне было все равно. Я не такая ранимая, как некоторые западные родители. Как я часто говорила девочкам, “моя материнская цель — подготовить вас к будущему, а не превратить в свою копию".

Как-то весной директор *Neighborhood Music School* попросил Софию и Лулу выступить дуэтом на гала-концерте в честь оперной певицы Джесси Норман, которая пела Аиду в потрясающей опере Верди. Так получилось, что это любимая опера моего отца — на нашей с Джедом свадьбе звучал "Триумфальный марш" из "Аиды", — и я пригласила родителей к нам из Калифорнии. Девочки, одетые в вечерние платья, исполнили моцартовскую Сонату для скрипки и фортепиано ми минор. Я думала, что эта пьеса для них слишком взрослая — обмен музыкальными репликами между скрипкой и фортепиано был не лучшим, не создавал впечатления общения, — но, кажется, больше никто этого не заметил, и девочки сорвали аплодисменты. Позже Джесси Норман сказала мне: "Ваши дочери так талантливы — вам очень повезло". Даже вместе с ссорами и всем остальным это были одни из лучших дней в моей жизни.

Глава 10
Отметки от зубов и пузырьки

Китайские родители могут позволить себе то, чего не могут западные. Однажды (а может, и не раз), когда я была молодой, я выказала своей матери крайнее неуважение, и мой отец на нашем родном диалекте сердито назвал меня “дрянью”. Это здорово задело меня. Я чувствовала себя ужасно, мне было страшно стыдно за свое поведение. Но это никак не повлияло на мою самооценку или что-то в этом роде. Я в точности знала, как хорошо он ко мне относится. Я на самом деле не чувствовала себя никчемной.

Как-то раз, уже будучи взрослой, я проделала то же самое с Софией, обозвав ее дрянью по-английски, когда она повела себя со мной крайне неуважительно. Упомянув об этом на какой-то вечеринке, я была немедленно подвергнута остракизму. Гостья по имени Марси так расстроилась, что принялась рыдать и вынуждена была уйти раньше времени. Хозяйка дома, моя подруга Сюзан, попыталась реабилитировать меня в глазах других гостей.

— О, дорогая, произошло недопонимание. Эми говорила метафорично — так ведь, Эми? Ты ведь не назвала Софию дрянью в самом деле?

— Э-э-э... Да, назвала. Но все дело в контексте, — попыталась я объяснить. — Это штучки китайских эмигрантов.

— Но ты-то не эмигрантка, — сказал кто-то.

— Тонко подмечено, — уступила я. — Неудивительно, что это не сработало.

Я просто пыталась говорить примирительно. На самом деле в случае с Софией это сработало прекрасно.

Дело в том, что китайские родители делают вещи, которые "западникам" могут показаться невообразимыми, даже подсудными. Мать-китаянка может сказать своей дочери: "Эй, толстуха, сбрось-ка вес". Западные же родители, напротив, кружат вокруг проблемы на цыпочках, говоря только о здоровье и никогда не упоминая слово на букву "т", а их дети продолжают ходить на терапию из-за расстройства питания и нарушения самооценки. (Также я когда-то слышала, как западный отец превозносил свою дочь, называя ее красивой и невероятно толковой. Позже она сказала мне, что это заставляло ее почувствовать себя мусором.) Китайские родители могут приказать своим детям разобраться с проблемой. Единственное, на что способны западные родители, это умолять своих детей делать все, на что те способны. Китайские родители могут сказать: “Ты лентяй. Все твои одноклассники на голову впереди тебя”. Западные родители, напротив, будут подавлять в себе раздражение из-за плохих оценок своих детей и пытаться убеждать себя, что вовсе не расстроены тем, как они учатся.

Я много и напряженно размышляла о том, почему китайские родители позволяют себе такое. Думаю, есть три серьезных различия между образами мышления китайских и западных родителей.

Во-первых, я заметила, что западные родители крайне озабочены самооценкой своих детей. Они переживают о том, как ребенок почувствует себя, если в чем-то потерпит неудачу, и постоянно пытаются успокоить детей тем, что те отлично справляются, несмотря на посредственно написанную контрольную или дурно сыгранный концерт. Иными словами, западные родители беспокоятся о психическом здоровье своих детей. Китайские родители этим не занимаются. Они всегда думают о силе, а не о слабости, и в результате действуют иначе.

К примеру, если ребенок принесет домой пятерку с минусом за контрольную, западные родители в большинстве случаев будут расточать похвалы. Китайская же мать задохнется от ужаса и спросит, что пошло не так. Если ребенок получит за контрольную четверку, западные родители по-прежнему будут его хвалить. Но, даже высказывая свое неодобрение, они будут осторожны, чтобы ребенок не ощутил собственную никчемность. Они совершенно точно не назовут его тупицей, бездельником или позором семьи. В душе западные родители могут переживать о том, что плохие оценки их ребенка связаны с его неспособностью к предмету или с тем, что что-то не так с учебной программой или даже самой школой. Если улучшения не происходит, они даже могут назначить встречу с директором, чтобы узнать, как преподается предмет, или поставить под сомнение профессионализм учителя.

Если же четверку получит китайский ребенок, чего никогда не случится, сначала он услышит дикие крики и увидит, как его мать рвет на себе волосы. Затем, крайне расстроенная, она сама проведет десятки, может быть, даже сотни контрольных и будет трудиться над ними вместе с ребенком до тех пор, пока его оценка не дорастет до пятерки. Китайские родители требуют высших оценок, поскольку уверены: дети способны их получать. Если же хороших оценок так и нет, родители начинают думать, что ребенок работает недостаточно много и тяжело. Вот почему такого ребенка всегда будут наказывать, критиковать и стыдить. Китайские родители уверены, что в их детях достаточно сил, чтобы пережить унижение и стать лучше. (А когда китайские дети делают что-либо замечательно, родители изливают на них поток раздувающих самомнение похвал, но делают это дома, за закрытыми дверями.)

Во-вторых, китайские родители считают, что их дети кругом им должны. Причина этого немного неясна, но, возможно, она базируется на конфуцианской сыновней почтительности и на том факте, что родители пожертвовали всем ради своих детей. (И это правда, китайские матери живут буквально в окопах, проводя изнурительные часы, обучая, воспитывая, допрашивая своих детей и шпионя за ними.) В любом случае суть в том, что китайские дети должны всю жизнь возвращать долг родителям, слушаясь их и заставляя гордиться. Не думаю, что западные родители полагают, что их дети находятся в неоплатном долгу перед ними. По крайней мере Джед думает иначе. "Дети не выбирали своих родителей, — сказал он мне однажды. — Они даже не выбирали сам факт рождения. Это родители навязали детям жизнь и потому в долгу перед ними. Дети же своим родителям ничего не должны. Зато они будут должны собственным детям". Мне это кажется чудовищным.

В-третьих, китайские родители уверены, что знают, что будет лучше для их детей, и, следовательно, подавляют все их желания и мечты. Поэтому китайские девочки не заводят бойфрендов в средней школе, поэтому они не могут поехать в поход с ночевкой. И поэтому китайский ребенок никогда не дерзнет заявить матери: "Мне дали роль в школьной пьесе! Я деревенский житель номер шесть. Теперь я каждый день с трех до семи буду оставаться после уроков на репетиции, даже по выходным". Бог в помощь тому китайскому ребенку, который на такое отважится.

Не поймите меня неправильно: это вовсе не значит, что китайские родители не заботятся о своих детях. Как раз наоборот. Ради них они готовы на все. Это просто совсем другая модель воспитания. Я думаю об этом как китаянка, но я знаю многих родителей — обычно из Кореи, Индии, Пакистана, — которые, не будучи китайцами, обладают очень похожим типом мышления, так что это вполне может быть свойственно всем эмигрантам. Или это может быть результатом противостояния разных культур в эмиграции.

Джед вырос в совсем другой системе координат. Его родители не были эмигрантами. И Сай, и Флоренс родились и выросли в Скрентоне, Пенсильвания, в ортодоксальных еврейских семьях. Оба рано потеряли матерей, у обоих было гнетущее, тяжелое детство. Поженившись, они покинули Пенсильванию как только смогли и в конечном итоге осели в Вашингтоне, где выросли Джед и его старшие брат и сестра. В качестве родителей Сай и Флоренс были полны решимости дать своим детям пространство и свободу, которых были лишены сами. Они верили в личный выбор, ценили независимость и творчество и критиковали власть.

Между моими родителями и родителями Джеда была пропасть. Джеду всегда предоставляли выбор — например, хотел ли он брать уроки игры на скрипке или нет (он от них отказался и сейчас жалеет); о нем думали как о человеке, имевшем право на собственное мнение. Мои родители никогда не предоставляли мне право выбора и не интересовались моим мнением. Ежегодно родители Джеда позволяли ему целое лето развлекаться с братом и сестрой в идиллическом местечке Кристал Лейк. Джед говорит, что это были одни из лучших дней в его жизни, и мы возили Софию и Лулу в Кристал Лейк когда могли. Я же, напротив, в детстве брала уроки компьютерного программирования и ненавидела лето. (Как и Кэтрин, моя семилетняя сестра и подружка, которая штудировала учебники по грамматике и училась составлять диаграммы, чтобы скоротать время.)

Родители Джеда отличались хорошим вкусом и коллекционировали произведения искусства. Мои родители этим не занимались. Его родители частично оплатили его образование. Мои всегда и за все платили полностью, но ожидали от меня всецелой поддержки, уважения и заботы в старости. У родителей Джеда никогда не было таких ожиданий.

Родители Джеда часто путешествовали вдвоем. Они бывали с друзьями в таких опасных местах, как Гватемала (где их почти похитили), Зимбабве (где они ездили на сафари) и Бобобудур в Индонезии (где они познакомились с гамеланом). Мои родители никогда и никуда не ездили без детей, а это значит, что останавливались мы в самых дешевых мотелях. Также, будучи эмигрантами из развивающейся страны, мои родители не поехали бы в Гватемалу, Зимбабве и Бобобудур, даже если бы им за это заплатили. Вместо этого нас возили в Европу, где как минимум были нормальные правительства.

Хотя мы с Джедом так и не пришли к окончательному соглашению, в нашем доме в основном практикуется китайская модель воспитания. Тому есть несколько причин. Во-первых, как и многие матери, я принимала больше участия в жизни девочек, и в том, что мой стиль превалировал, была своя логика. Хотя мы с Джедом оба преподавали и я была так же занята в Йеле, как и он, именно я проверяла домашние задания, уроки китайского и сидела на всех музыкальных занятиях. Во-вторых, совершенно независимо от меня Джеду также нравилось строгое воспитание. Он часто сетовал на людей, которые ни в чем не отказывали своим детям или, что еще хуже, отказывали, но не следили за выполнением своих требований. Но, хотя Джед спокойно говорил девочкам "нет", у него не было конкретного плана на их счет. Он никогда не заставлял их играть на скрипке или фортепиано, если девочки этого не хотели. Он не был абсолютно уверен в том, что может сделать за них правильный выбор. Это моя работа.

Но — и это, возможно, важнее всего — мы остановились на китайской модели, потому что сложно усомниться в достигнутых с ее помощью результатах. Другие родители постоянно спрашивали нас, в чем секрет. София и Лулу были образцовыми детьми. В обществе они были вежливыми, интересными, отзывчивыми и умели поддержать беседу. Они отлично учились, а София к тому же на две головы опережала своих одноклассников по математике. Они свободно говорили по-китайски. И все дивились их способностям к академической музыке. Короче говоря, они были всего-навсего китайскими детьми.

Но не без исключений. В 1999 году мы впервые вместе с девочками поехали в Китай. София и Лулу —

обе темноволосые, черноглазые, со всеми азиатскими чертами в лицах, и они обе говорили по-китайски. София ела все подряд — утиную кожу, свиные уши, морские огурцы — еще один важный аспект китайской идентичности. И тем не менее повсеместно в Китае, даже в космополитичном Шанхае, мои дочери собирали толпы любопытных, которые пялились на них, хихикали и называли их "двумя маленькими иностранками, говорящими по-китайски". В Сычуани, в заповеднике *Chengdu Panda Breeding Center*, мы снимали новорожденных гигантских панд — розовых, сморщенных, извивающихся существ, которые редко выживают, — а китайские туристы фотографировали Софию и Лулу.

Несколькими месяцами позже, уже в Нью-Хейвене, когда я сказала, что София — китаянка, она перебила меня: "Мамочка, я не китаянка".

— Нет, ты китаянка.

— Нет, мамочка, ты единственная, кто так считает. Никто в Китае не думал, что я китаянка. И в Америке меня никто так не называет.

Это меня сильно встревожило, но я сказала: "Эти люди ошибаются. Ты именно что *китаянка*".

Первый триумф в музыке София пережила в 2003 году, когда победила в музыкальном конкурсе Нью-Хейвена. Ей было десять лет, и в качестве приза она получила возможность выступить вместе с молодежным оркестром в часовне при Йельском университете. Я буквально сошла с ума. Я вырезала из местной газеты статью о Софии и вставила ее в рамку. Я пригласила на концерт больше сотни человек и запланировала колоссальную вечеринку после выступления. Я купила Софии ее первое длинное вечернее платье и новые туфли. Приехали все бабушки с дедушками. За день до выступления моя мама на нашей кухне готовила сотни "жемчужных шариков" (свиных фрикаделек, обсыпанных липким белым рисом), а Флоренс сделала десять фунтов гравлакса (семги с морской солью).

Тем временем на музыкальном фронте мы пытались опередить время. София собиралась играть Рондо для фортепиано с оркестром Моцарта — одну из самых жизнеутверждающих пьес композитора. Моцарт, как известно, труден. Его музыку повсеместно называют сверкающей, блестящей, искрометной и непринужденной, то есть используют прилагательные, которые вселяют ужас в сердца музыкантов. Говорят, что музыку Моцарта могут исполнять только молодые люди и старики: молодые потому, что они наивны, а старики — потому что им больше не надо никого впечатлять. Рондо Софии — это классический Моцарт. Учительница Мишель говорила: "Играя, думай о шампанском или итальянской газировке[1], о пузырьках, что стремятся на поверхность".

София была готова принять любой вызов. Она невероятно быстро училась, ее пальчики порхали как бабочки. Более того, она слушала все, что я ей говорила.

1 Изобретенный в США напиток на основе газированной воды и фруктовых сладких сиропов.

К тому моменту я уже стала сержантом зубрежки. Я разбила рондо на части. Час мы тратили только на отработку нюансов (чистоту нот), еще один — на темп (с метрономом), третий — на динамику (громко, тихо, *crescendo*, *decrescendo*), четвертый — на фразировку (формирование мелодической линии) и так далее. Мы неделями работали каждый день допоздна. Я не жалела резких слов и становилась даже жестче, когда видела, как глаза Софии наполняются слезами.

Когда великий день наконец настал, меня вдруг парализовало. Я сама никогда не смогла бы стать исполнителем. Но София только выглядела взволнованной. Когда она вышла на сцену часовни, чтобы занять место солиста, на ее лице сияла широкая улыбка, и, я бы сказала, она была счастлива. Когда я следила за ее игрой — в зале с темными дубовыми стенами она казалась такой крошечной и храброй за своим инструментом, — мое сердце будто бы наполнялось неописуемой болью.

Потом друзья и незнакомые люди поздравляли нас с Джедом. Игра Софии была захватывающей, говорили они, такой сильной и элегантной. Сияющая Мишель сказала нам, что София просто создана для исполнения Моцарта и что она никогда не слышала, чтобы рондо звучало так свежо и искристо. “Видно, что она получает удовольствие от игры, — заявил мне Ларри, директор *Neighborhood Music School*. — У вас никогда не получится так хорошо играть, если вы не наслаждаетесь музыкой”.

По ряду причин его комментарий напомнил мне об инциденте, произошедшем несколько лет назад, когда София только начинала играть на фортепиано, а я уже сильно на нее давила. Джед обнаружил забавные отметины на клавишах. Когда он спросил о них Софию, та сделала виноватое лицо. "Что?" — уклончиво переспросила она.

Джед присел и осмотрел отметины более внимательно. "София, — задумчиво поинтересовался он, — а это не могут быть следы зубов?"

Оказалось, это именно они. Забросав Софию, которой на тот момент было где-то шесть лет, вопросами, он выудил признание, что она частенько грызла фортепиано. Когда Джед рассказал, что этот инструмент — самый дорогой предмет мебели в нашем доме, София пообещала не делать этого больше. Не знаю точно, почему комментарий Ларри вызвал у меня это воспоминание.

Глава 11
“Маленький белый ослик”

Эта история — о пользе принуждения в китайском стиле. Лулу было около семи лет, она все еще играла на двух инструментах и разучивала на фортепиано пьесу французского композитора Жака Ибера “Маленький белый ослик”. По-настоящему милая вещица. Вы с легкостью можете представить себе ослика, бредущего вместе с хозяином по проселочной дороге. Но для молодых исполнителей она также и невероятно трудна, поскольку руки должны вести шизофренически разные ритмы.

Лулу не могла этого сделать. Мы целую неделю работали без перерывов, снова и снова тренируя каждую руку в отдельности. Но стоило Лулу заиграть обеими руками, как одна начинала подражать другой, и все разваливалось. Наконец за день до урока Лулу в отчаянии объявила, что она сдается, и потопала прочь.

— Вернись за инструмент сейчас же, — приказала я.

— Ты не можешь меня заставить.

— Еще как могу.

Сев за фортепиано, Лулу заставила меня поплатиться за свои слова. Она колотила кулаками по клавишам и пинала инструмент ногами. Она схватила партитуру и разорвала ее в клочья. Я склеила ноты заново и заламинировала так, чтобы Лулу было их не разорвать. Затем я отнесла ее кукольный домик к машине со словами, что отдам его Армии спасения по частям, если "Маленький белый ослик" не станет лучше к завтрашнему дню. Когда Лулу сказала: "Я думала, ты уехала в Армию спасения, почему же ты еще здесь?" — я оставила ее без обеда и ужина, без подарков к Рождеству и Ханукe и без вечеринок в день рождения на два, три, четыре года. Поскольку она продолжала играть плохо, я сказала ей, что она нарочно доводит себя до исступления, поскольку втайне боится, что не справится с пьесой. Я потребовала, чтобы она перестала лениться, трусить, потворствовать собственным слабостям и жалеть себя.

Джед отвел меня в сторонку. Он сказал, что лучше бы мне перестать оскорблять Лулу (чего я даже не начинала делать, я всего лишь мотивировала ее) и что угрозы явно не пойдут ей на пользу. Еще, заметил он, Лулу, вероятно, и правда не способна освоить эту технику — может, у нее все еще есть проблемы с координацией, и я могла бы рассмотреть такую вероятность.

— Ты просто в нее не веришь, — сказала я.

— Это смешно, — ответил Джед презрительно. — Конечно, я в нес верю.

— Когда София была в ее возрасте, она играла эту пьесу.

— Но они же разные, — заметил Джед.

— О нет, только не это, — сказала я, закатывая глаза. И продолжила с сарказмом: — Каждый необычный человек необычен по-своему, и свой путь есть даже у неудачников. Что ж, не переживай, тебе не придется и пальцем шевелить. Я готова работать над этим сама столько, сколько потребуется, и рада быть той, кого ненавидят наши дети. А ты будь тем, кого они обожают, потому что ты печешь блинчики и таскаешь девочек на игру “Янки”.

Я засучила рукава и вернулась к Лулу. Я использовала все возможные оружие и тактику, какие только могла придумать. Мы работали после ужина до глубокой ночи, и я не позволяла Лулу встать со стула ни чтобы попить воды, ни чтобы сходить в туалет. Дом превратился в зону боевых действий. Из-за постоянных криков у меня сел голос, но улучшений по-прежнему не было, и даже у меня стали появляться сомнения.

А затем, совершенно неожиданно, у Лулу получилось. Ее руки внезапно начали играть слаженно, правая и левая невозмутимо вели каждая свою партию — просто так.

Лулу поняла это одновременно со мной. Я затаила дыхание. Она робко попробовала снова. Затем сыграла более уверенно и быстро, и ритм по-прежнему сохранялся. Мгновение спустя она уже сияла: "Мамочка, посмотри, это так просто!" Потом она хотела играть пьесу снова и снова, ее было не оттащить от рояля. Той ночью она спала вместе со мной, мы прижимались друг к другу и до хруста сжимали друг друга в объятиях. Несколько недель спустя, когда Лулу сыграла "Маленького белого ослика" на концерте, родители других детей подходили ко мне со словами: "Это же идеальная пьеса для Лулу, она настолько темпераментная и так ей подходит".

Даже Джед воздал мне должное. Западные родители сильно беспокоятся о самооценке своих детей. Но худшее, что они могут для нех сделать, будучи родителями, — это сдаться. С другой стороны, нет ничего лучше для укрепления доверия, чем доказать, что ребенок может сделать что-то, на что, как он думал, он не способен.

Все эти новые книги изображают азиатских матерей интриганками, черствыми, утомленными женщинами, равнодушными к интересам детей. Со своей стороны, многие китайцы втайне считают, что делают для детей больше и заботятся о них гораздо лучше, чем "западники", которых, кажется, вполне устраивает, что их дети плохо учатся. Я думаю, что с обеих сторон есть недопонимание. Все порядочные родители хотят дать своим детям лучшее. Просто у китайцев совсем другое мнение о том, как это сделать.

Западные родители стараются уважать индивидуальность своих детей, поощряя их истинные пристрастия, поддерживая их выбор и предоставляя им заботливое окружение. Китайцы, напротив, уверены, что лучший способ защитить детей — это подготовить их к будущсму, позволив им увидеть, на что они способны, и вооружив их навыками, привычкой работать и внутренней уверенностью в том, что они могут сделать то, на что больше никто не способен.

Глава 12
Каденция

Лулу и язвительная я в гостиничном номере

Лулу вздохнула. Я везла девочек домой из школы и пребывала в дурном настроении. София только что напомнила мне, что в ее шестом классе приближается Средневековый фестиваль, а нет ничего, что я ненавидела бы больше, чем все эти фестивали и проекты, на которых специализируются частные школы. Вместо того чтобы заставлять детей вгрызаться в учебники, частные школы постоянно пытаются превратить учебу в развлечение, предоставляя родителям право сделать всю работу.

Для проекта “Паспорт мира” в классе Лулу я должна была приготовить блюда эквадорской кухни (тушенную на протяжении четырех часов в ашиоте[1] курицу с жареными бананами), подготовить сувениры из Эквадора (резную ламу из Боливии — все равно никто не заметил разницы) и найти настоящего эквадорца, чтоб Лулу могла его проинтервьюировать (парень из выпускного класса, которому я заплатила). Заданием Лулу было сделать паспорт — маленький кусочек бумаги, сложенный вчетверо, с надписью “паспорт” — и явиться на международный кулинарный фестиваль, представляющий блюда сотни разных стран, приготовленные родителями.

Но это было ничто в сравнении со Средневековым фестивалем, главным событием в жизни шестиклассников. Ради него каждый ученик должен был сшить себе средневековый костюм, который нельзя было взять напрокат или сделать чересчур дорогим. Каждый ученик должен был принести с собой какое-нибудь средневековое блюдо, приготовленное средневековым способом. Наконец, каждый должен был построить средневековое жилище.

Так что в тот день я была в мерзком настроении, пытаясь понять, какого архитектора нанять и как убедиться в том, что это не родитель другого уче-

1 Паста, получаемая из семян тропического кустарника аннато.

ника, когда Лулу снова вздохнула, на сей раз более глубоко.

— Моей подружке Майе так повезло, — сказала она задумчиво. — У нее дома столько животных. Два попугая, собака и золотая рыбка.

Я промолчала. Я неоднократно проходила через такой разговор с Софией.

— И две гвинейских свиньи.

— Может быть, поэтому она все еще занимается по первому учебнику в классе скрипки, — казала я. — Она слишком занята своими питомцами.

— Я бы тоже хотела домашнее животное.

— Оно у тебя уже есть, — отрезала я. — Это твоя скрипка.

Я никогда особо не любила животных и не заводила их, когда была ребенком. Я не проводила серьезного эмпирического исследования, но догадываюсь, что в большинстве семей китайских эмигрантов в Штатах домашних животных нет. Китайские родители слишком заняты, воспитывая детей, чтобы отвечать еще и за животное. Также они обычно стеснены в деньгах — мой папа восемь лет ходил на работу в одних и тех же ботинках, — и домашнее животное для них предмет роскоши. Наконец, у китайских родителей другое отношение к животным, к собакам особенно.

В то время как на Западе собак считают преданными компаньонами, в Китае они — лишь строчка в меню. Это расстраивает, бросает тень на репутацию целого народа, но, к сожалению, это правда жизни.

Собачье мясо, особенно мясо молодых собак, в Китае, а также в Корее считается деликатесом. Сама я никогда не ела собачатины. Я любила Лесси. Неро — умный и верный пес из "Кэдди Вудлон"[1], нашедший путь из Бостона домой в Висконсин, — всегда был одним из моих любимых литературных героев. Но между поеданием собак и содержанием их дома есть большая разница, и я даже в отдаленной перспективе не думала, что у нас когда-нибудь будет собака. Я просто не видела в этом смысла.

Тем временем мои скрипичные занятия с Лулу становились все более и более мучительными.

— Прекрати нависать надо мной, — говорила она. — Ты мне напоминаешь Волан-де-Морта. Я не могу играть, когда ты стоишь так близко.

В отличие от западных родителей сравнение с Волан-де-Мортом из уст собственного ребенка меня не обидело. Я всего лишь пыталась оставаться сосредоточенной.

— Сделай для меня кое-что, Лулу, — сказала я спокойно. — Одну маленькую вещь: сыграй эту строку снова, но на сей раз пусть вибрато прозвучит получше. Убедись, что ты плавно перемещаешься с первой позиции на третью. И не забывай пользоваться всем смычком во время фортиссимо с небольшим усилением в конце. Также не забывай держать большой палец правой руки согнутым, а мизинец левой — оттопыренным. Давай играй.

1 Популярная в США детская книжка писательницы Кэрол Райри Бринк.

Лулу не сделала ничего из того, о чем я ее попросила. Когда я начала раздражаться, она невинно спросила: "Прости, пожалуйста, что ты хочешь, чтобы я сделала?"

В другой раз после моих инструкций Лулу рвала струны так, будто играла на банджо. Или, что еще хуже, принималась крутить скрипку вокруг себя как лассо до тех пор, пока я не начинала в ужасе орать. Когда я просила ее держать спину ровно и приподнимать скрипку, она иногда валилась на пол и притворялась мертвой, вывалив наружу язык. И неизменно повторяла: "Ну, мы уже закончили?"

Тем не менее бывали дни, когда казалось, что Лулу любит скрипку. Попрактиковавшись со мной, она иногда хотела поиграть еще и, забыв о времени, наполняла дом волшебными звуками. Она просила разрешения взять скрипку в школу и возвращалась домой раскрасневшаяся и довольная после выступления перед всем классом. Или же она прибегала ко мне, когда я сидела за компьютером, и спрашивала: "Мамочка, угадай, какую пьесу Баха я люблю больше всего?" Я пыталась угадать и в 70% случаев действительно угадывала, и тогда она говорила либо: "Откуда ты знаешь?", либо: "Нет, другая — разве она не хороша?"

Если бы не эти эпизоды, я, вероятно, могла бы сдаться. Или нет. Так или иначе, как в случае с Софией и фортепиано, я возлагала большие надежды на Лулу и скрипку. Я хотела, чтобы она выиграла концертный конкурс Нью-Хейвена и смогла выступить в качестве солистки на сцене *Battell Chapel*. Я хотела, чтобы она стала концертмейстером в лучшем молодежном оркестре. Я хотела, чтобы она была лучшей скрипачкой в штате, и это только для начала. Я знала, что был лишь один способ сделать Лулу счастливой. Так что чем больше она отлынивала, препиралась со мной, работала вполсилы, кривлялась, тем дольше я заставляла ее играть.

— Мы сыграем эту пьесу правильно, — говорила я ей, — сколько бы времени на это ни ушло. Все в твоих руках. Если понадобится, мы просидим тут до полуночи.

И иногда мы сидели.

— Моя подруга Даниэла была поражена тем, сколько я репетирую, — заявила Лулу как-то вечером. — Она мне не поверила. Я сказала ей, что занимаюсь по шесть часов в день, и она сделала так, — тут Лулу изобразила Даниэлу с отвисшей челюстью.

— Тебе не следовало говорить про шесть часов, Лулу, ты ее дезинформировала. Потому что из этих шести часов пять ты филонила.

Лулу это проигнорировала.

— Даниэле так меня жалко. Она спросила, когда же я занимаюсь чем-то еще. А я ей сказала, что у меня нет времени на развлечения, поскольку я китаянка.

Я прикусила язык и ничего не сказала. Лулу всегда находила союзников и выстраивала в ряды свои войска. Но меня это не волновало. В Америке каждый был готов встать на ее сторону. Но я не позволю ее сверстникам давить на меня. О тех нескольких случаях, когда я давала слабину, я пожалела.

К примеру, однажды я разрешила Софии переночевать у подруги. Это было из ряда вон. Когда я была маленькой, моя мать спрашивала меня: “Зачем тебе надо ночевать где-то еще? Чем тебе не нравится твой собственный дом?” Став матерью, я придерживалась того же мнения, но тогда София канючила и ныла, и в несвойственный мне момент слабости я позволила ей пойти в гости с ночевкой. На следующее утро она пришла домой не только измотанная (и не в состоянии нормально играть на фортепиано), но еще и раздражительная и несчастная. Получается, что для большинства детей все эти ночевки не такое уж и развлечение — таким образом родители, не осознавая того, наказывают своих детей, навязывая им вседозволенность. Выпытав у Софии информацию, я узнала, что А., Б. и В. выгнали из компании Г.; что Б. жестоко сплетничала о Д. в тот момент, когда та вышла в другую комнату, и что двенадцатилетняя Е. ночь напролет рассказывала о своих сексуальных подвигах. София не должна подвергаться воздействию худших проявлений западного общества, и я не давала банальностям вроде “дети должны сами все исследовать” или “им нужно совершить собственные ошибки” вводить меня в заблуждение.

Есть масса вещей, которые китайцы делают совсем не так, как “западники”. В частности, это касается дополнительных баллов[1]. Однажды Лулу пришла

1 В американской системе образования дополнительные баллы, получаемые учеником за внеклассную работу в рамках существующего учебного плана, являются серьезным плюсом при поступлении в колледж.

домой и рассказала мне о контрольной по математике, которую только что сдала. Она сказала, что думает, что сделала ее очень хорошо, и поэтому ей нет смысла переживать о дополнительных баллах.

На секунду я в недоумении онемела.

— Это почему еще? Почему ты не стала их зарабатывать?

— Я не хотела пропустить перемену.

Фундаментальным принципом китайской жизни является то, что ты постоянно сражаешься за дополнительные баллы.

— Почему? — спросила Лулу, когда я ей это объяснила.

Для меня это вопрос из той же серии, что и "зачем ты дышишь".

— Ни один из моих друзей так не делает, — добавила Лулу.

— Это не так, — сказала я. — Я на сто процентов уверена, что Эми и Джуно получили дополнительные баллы, — Эми и Джуно были одноклассниками Лулу и детьми азиатов. И я была права на их счет, в чем Лулу созналась.

— Но Рашад и Иен заработали дополнительные баллы тоже, хотя они и не азиаты, — добавила она.

— Ага! Так значит, многие твои друзья заработали дополнительные баллы! И я не говорила, что только азиатские дети так делают. Все, у кого хорошие родители, знают, что нужно добиваться дополнительных баллов. Я в шоке, Лулу. Что подумает о тебе учитель? Ты отправилась на перемену, вместо того чтобы зарабатывать дополнительные баллы?

Я была готова разрыдаться: “Дополнительный балл вовсе не *дополнительный*. Это просто *балл*. Это то, что отличает хороших учеников от плохих”.

— Ой, на переменке так весело, — кинула мне Лулу финальную реплику. Но с тех пор она, как и София, неизменно приносила домой дополнительные баллы. Иногда девочки зарабатывали больше на дополнительных баллах, чем на самой контрольной — абсурд, который в принципе не свойствен Китаю. Дополнительные баллы — это то, из-за чего у азиатских детей в Штатах столь потрясающе хорошие оценки.

Зубрежка — еще одна причина. Однажды София заняла второе место в конкурсе по умножению на скорость, который учитель пятого класса проводил каждую пятницу. Она проиграла корейскому мальчику по имени Юн-Сеок. В течение следующей недели я заставляла Софию каждый вечер решать по двадцать практических заданий (по сто задач в каждом), стоя над ней с секундомером в руке. С тех пор она регулярно занимала первое место. Бедный Юн-Сеок. Он вернулся в Корею вместе со своими родителями, но, вероятно, не из-за конкурса на скоростное умножение.

Практиковаться больше, чем кто-либо еще, — вот почему азиатских детей так много и в консерваториях. Именно поэтому Лулу каждую субботу неизменно впечатляла мистера Шугарта своим стремительным ростом.

— Ты схватываешь на лету, — говаривал он часто. — Ты будешь великой скрипачкой.

Осенью 2005 года, когда Лулу было девять лет, мистер Шугарт сказал:

— Лулу, думаю, ты готова к концерту. Что скажешь, если мы прервемся в изучении книг Сузуки?

Он хотел разучить с ней Концерт №23 соль мажор Виотти.

— Если ты будешь по-настоящему усердно заниматься, клянусь, ты сможешь дать свой первый сольный концерт уже зимой. Единственная сложность, — добавил он задумчиво, — в пьесе есть очень трудная каденция.

Мистер Шугарт был хитер и прекрасно понимал Лулу. Каденция — это особая часть пьесы, обычно ближе к финалу, когда солист играет без сопровождения оркестра.

— Это шанс показать себя, — сказал мистер Шугарт. — Но каденция на самом деле длинная и очень сложная. Большинство детей твоего возраста не в состоянии с ней справиться.

Лулу взглянула на него с интересом.

— А насколько длинная?

— Каденция? О, очень длинная. Где-то на страницу.

— Думаю, я справлюсь, — сказала Лулу. Она говорила с уверенностью, хотя я совсем не давила на нее, она просто любила, когда ей бросали вызов.

Мы погрузились в Виотти, и бои ожесточились.

— Успокойся, мам, — говорила Лулу противным голосом. — Ты впадаешь в истерику и шумно дышишь. У нас есть еще целый месяц на практику.

Я могла думать только о работе, которую нужно было проделать. Несмотря на относительную простоту, концерт Виотти был большим шагом вперед от того, к чему Лулу привыкла. Каденция была заполнена стремительным бегом по струнам и двойными и тройными нотами — техникой, при которой ноты берутся одновременно на двух и трех струнах, эквивалент фортепианных аккордов, которые так трудно сыграть чисто.

Я хотела, чтобы каденция получилась хорошо. Это стало для меня своего рода навязчивой идеей. Все остальные дела с Виотти обстояли нормально — часть была слегка занудной, но мистер Шугарт оказался прав: каденция делала весь концерт цельным. Где-то за неделю до выступления я поняла, что каденция в исполнении Лулу могла бы быть потрясающей. Мелодические части были очень утонченными, у Лулу обнаружилось поразительное чутье на это. Но части, требующие технического совершенства, удавались не так хорошо, в частности серия двойных и тройных нот ближе к финалу. Во время репетиций эти места звучали как попало. Когда Лулу сосредоточивалась и пребывала в хорошем настроении, она справлялась. Но когда она была в плохом настроении или отвлекалась, каденция становилась невыразительной. И я никак не могла контролировать эти настроения.

А затем на меня снизошло озарение.

— Лулу, — сказала я. — Я хочу предложить тебе сделку.

— О нет, только не это опять, — простонала Лулу.

— Это хорошая сделка, Лулу. Тебе понравится.

— Что? Я позанимаюсь два лишних часа и могу не накрывать на стол? Нет, спасибо, мама.

— Лулу, просто послушай меня секунду. Если в следующую субботу ты сыграешь каденцию по-настоящему хорошо — лучше, чем ты когда-либо ее играла, — я подарю тебе что-то, что ты, я уверена, полюбишь и чего совсем от меня не ожидаешь.

Лулу посмотрела на меня презрительно:

— Что-то вроде печенья? Или пять минут за компьютерной игрой?

Я покачала головой.

— Нечто настолько удивительное, что даже ты не устоишь.

— Вечеринку?

Я покачала головой:

— Шоколадку?

Я снова покачала головой, настал мой черед быть презрительной:

— Ты считаешь, я думаю, ты не устоишь перед шоколадкой? Я знаю, что ты намного выше этого, Лулу. Нет, это что-то, о чем ты НИ ЗА ЧТО не догадаешься.

И я была права, она бы не догадалась — возможно, потому что это здорово выходило за рамки ее воображения, постоянно сталкивавшегося с печальной реальностью.

В конце концов я сказала ей: "Это животное. Собака. Если в следующую субботу ты подаришь мне по-настоящему прекрасную каденцию, я подарю тебе пса".

Впервые в жизни Лулу остолбенела. "Собаку? — переспросила она. А затем добавила подозрительно: — Живую?"

— Да, щенка. Вы с Софией решите, какой породы.

Именно так я сама себя перехитрила, навсегда изменив нашу жизнь.

Часть вторая

Тигры нетерпеливы и вечно торопятся. Они очень уверены в себе, иногда даже слишком. Они любят, чтобы их слушались, и не любят подчиняться. Среди вариантов подходящей карьеры для Тигров — рекламный агент, офис-менеджер, турагент, актер, писатель, летчик, стюардесса, музыкант, комедиограф и шофер.

Глава 13
Коко

Коко — это наша собака, мое первое домашнее животное. Но не первое для Джеда. В детстве у него была дворняжка по кличке Фриски. Вечно гавкающий Фриски был похищен и убит соседом, пока семья Джеда ездила отдыхать. Во всяком случае, Джед подозревал, что все произошло именно так. Хотя возможно, Фриски просто потерялся и его приютила добрая вашингтонская семья.

Технически Коко не была первым животным и для Софии с Лулу. Ранее мы уже проходили через это испытание, продлившееся, к счастью, недолго. Когда девочки были маленькими, Джед принес домой двух декоративных кроликов — Вигги и Тори. Я невзлюбила их с первого взгляда и даже не собиралась за ними ухаживать. Они были тупыми и вовсе не соответствовали данному им описанию. Продавец в зоомагазине сказал Джеду, что это карликовые кролики, которые всю жизнь будут маленькими и милыми. Он соврал. Уже через неделю Вигги и Тори превратились в огромных и толстых зверюг. Они передвигались с грацией борцов сумо, были очень на них похожи и едва помещались в клетке. Также они, ставя Джеда в неловкое положение, постоянно пытались спариваться друг с другом, несмотря на то что оба были самцами. "Что они делают, папа?" — спрашивали девочки. В конце концов кролики загадочным образом исчезли.

Коко — самоед размером с сибирскую лайку. Это белая пушистая собака с темными миндалевидными глазами. Самоеды известны своими улыбающимися мордами и пышными хвостами, скрученными в бублик. У Коко типичная самоедская улыбка и ослепительно-белоснежный мех. Почему-то хвост у Коко короче, чем надо, и больше похож на помпон, чем на бублик, но она тем не менее потрясающе красива. Хотя это научно не доказано, говорят, что самоеды произошли от волков, но в жизни они — их прямая противоположность. Они милые, нежные, дружелюбные и любящие животные и к тому же очень хорошие охранники. Первоначально в Сибири они целыми днями тянули сани с наездниками, а по ночам согревали хозяев своим теплом, укладываясь спать прямо на них. Зимой Коко делает то же самое, согревая нас. Еще одно приятное свойство самоедов — от них не воняет псиной. Коко пахнет чистой свежей соломой.

Она родилась 26 января 2006 года. Самая маленькая в своем помете, она всегда была необычайно робкой. Когда ей исполнилось три месяца и мы забрали ее к себе, Коко была трясущимся белым пушистым шариком. (Щенки самоеда напоминают белых медвежат, и на свете нет никого симпатичнее.) В машине она, дрожа, забилась в угол своей переноски, а дома так всего боялась, что отказывалась от еды. В тот момент Коко была на 10% меньше большинства самоедов. Ее пугали гром, крики, кошки и маленькие злобные шавки. Она до сих пор не может спускаться по нашей узкой лестнице. Иными словами, она совсем не лидер.

Тем не менее, хотя я ничего не знала о собаках, моим первым желанием было применить к Коко китайскую модель воспитания. Я слышала о собаках, которые умели считать и владели приемом Геймлиха[1], а заводчица сказала нам, что самоеды очень умные. Также я знала о знаменитых самоедах. В 1895 году Каифа и Сугген возглавляли стаю в экспедиции Фритьофа Нансена на Северный полюс. В 1911-м самоед по кличке Эта лидировал в стае первой успешной экспедиции на Южный полюс. Коко была невероятно быстра и подвижна, и я видела в ней большой потенциал. Чем чаще Джед мягко указывал мне на то, что она не была целеустремленной и что перед собаками не стоит задачи подняться на верхнюю ступень развития, тем больше я верила в то, что у Коко есть скрытые таланты.

Я приступила к масштабному исследованию. Я накупила массу книжек, и больше всего мне понра-

1 Оказание первой помощи человеку, у которого в дыхательных путях застряли инородные предметы, посредством резких нажатий на его диафрагму.

вилось "Искусство воспитания щенка" монахов Нового скита[1]. Я подружилась с другими собачниками нашего района и выслушала кучу полезных советов о собачьих площадках и развлечениях. Я нашла своего рода собачий детский сад, в котором щенков готовили к более серьезной дрессировке, и записала туда Коко.

Но сначала мы прошли основы вроде загаживания дома. Это оказалось более сложным, чем я ожидала, и, по сути, отняло у меня несколько месяцев. Зато когда мы в конце концов достигли успеха — Коко подбегала к дверям и сообщала о том, что ей надо на прогулку, — это было подобно чуду.

Поразительно, но примерно в то же время члены нашей семьи подустали. Джед, София и Лулу считали, что с Коко хватит тренировок, хотя единственное, чему она научилась, — это не валяться на коврах и не заходить в ванную. Они просто хотели обниматься и играть с Коко и гулять с ней в нашем дворе. Я была в шоке, а Джед попытался меня успокоить, добавив, что еще Коко умеет садиться и приносить предметы по команде и что она преуспела в игре с фрисби.

К сожалению, на этом ее полезные навыки заканчивались. Она не отзывалась на команду "ко мне". Хуже того, когда Джед, демонстрировавший в нашем

1 *Новый скит* — три православных монашеских общины в Кембридже, штат Нью-Йорк. Среди прочего монахи Нового скита занимаются дрессировкой немецких овчарок, превращая их в надежных компаньонов и поводырей. Монахи также написали несколько ставших популярными книг о воспитании собак.

доме задатки альфа-самца, говорил ей "фу", она не реагировала и продолжала грызть карандаши, *DVD*-диски и мои любимые туфли. Всякий раз, когда мы приглашали гостей на ужин, Коко притворялась спящей до тех пор, пока мы не относили закуски в гостиную. Тогда она бежала туда, хватала здоровенный кусок паштета и скакала по комнате галопом, тем временем паштета в ее пасти становилось все меньше и меньше. Носилась она с дикой скоростью, так что поймать ее мы не могли.

Коко также не умела гулять. Она могла только мчаться на предельно высокой скорости. Это было моей проблемой, поскольку с собакой всегда гуляла я, то есть на самом деле меня тащили со скоростью пятьдесят миль в час, и я часто врезалась в деревья (когда Коко гналась за белкой) или в чьи-то гаражи (снова белка). Я рассказывала об этом членам семьи, но никого из них это не взволновало. "У меня нет времени, мне нужно репетировать", — бормотала София. "Почему она непременно должна ходить медленно?" — удивлялась Лулу.

Однажды, когда мы пришли с "прогулки" и мои локти были исцарапаны, а колени перепачканы травой, Джед сказал: "Это заложено в ее породе. Она думает, что ты санки, и хочет тянуть тебя вперед. Давай забудем о том, что надо научить ее гулять спокойно. Почему мы не можем сделать машинку — ты в нее сядешь, и Коко будет возить тебя?"

Но я не хотела быть местным погонщиком собак. И сдаваться тоже не хотела. Если все остальные собаки могут гулять нормально, то почему наша не может? И я приняла этот вызов. Следуя советам учебников, я ходила с Коко кругами, вознаграждая ее кусочками стейка, когда она не натягивала поводок. Я издавала низкие зловещие звуки, когда она не слушалась, и высокие, восторженные, когда она подчинялась. Я проходила с ней по полквартала, что, казалось, тянулось вечность, поскольку я должна была останавливаться и считать до тридцати всякий раз, как поводок натягивался. Наконец, когда все мои попытки провалились, я воспользовалась советом еще одного владельца самоеда и купила строгий ошейник, который впивался в шею Коко всякий раз, когда та начинала тянуть.

Примерно тогда же мои светские друзья Алексис и Джордан приехали к нам в гости из Бостона со своими элегантными, соболиного окраса собаками Милли и Башей. Эти австралийские овчарки были ровесницами Коко, но меньше ее ростом, не такими пушистыми и на удивление смышлеными. Выведенные специально для выпаса овец, они работали слаженной командой, пытаясь пасти Коко, которая немного походила на овцу и, по мнению Милли и Баши, вела себя соответствующе. Милли и Баша постоянно загоняли ее в угол. Они также могли делать разные вещи, например закрывать двери и открывать коробки со спагетти, — то, что Коко даже и в голову не приходило.

— Надо же, — сказала я Алексис вечером после бокала вина. — Не могу поверить, что Милли и Баша сами нашли воду, открутив вентиль нашего садового шланга. Это потрясающе.

— Австралийские овчарки похожи на бордер-колли, — ответила Алексис. — Возможно, потому, что они пастухи, им необходимо быть по-настоящему умными. По крайней мере если верить рейтингам в интернете.

— Рейтинги? Что за рейтинги? — я налила себе еще бокал вина. — И на каком же месте самоеды?

— Ох, я и не помню, — смутилась Алексис. — Думаю, что идея делить собак на умных и глупых сама по себе идиотская. Я бы не стала переживать по этому поводу.

Когда Алексис и Джордан уехали, я бросилась к компьютеру и стала искать в интернете рейтинги собак по интеллекту. Самым популярным был “Рейтинг умнейших собак”, составленный нейропсихологом из Университета Британской Колумбии, доктором Стенли Кореном. Я пролистала список, лихорадочно ища самоедов. Но их там не оказалось. Я нашла расширенный список. Самоед занимал в нем 33-е место из 79 — не самая тупая собака (эта честь принадлежит афганской борзой), но определенно нечто среднее.

Мне стало дурно. Я провела более предметное исследование и выяснила, что все это было ошибкой. Согласно каждому сайту о самоедах, созданному экспертами по породе, эти собаки потрясающе умны. Причина того, что они не справляются с тестами на *IQ*, заключается в том, что тесты основаны на способности собак к дрессировке, а самоеды с большим трудом ей поддаются. Почему? Потому что они как раз исключительно умны и именно поэтому упрямы. Вот очень внятное объяснение Майкла Д. Джонса: "Их сильный и независимый характер мешает им в тренировках. Там, где, например, золотистый ретривер может работать *на* своего хозяина, самоед или работает *вместе* с ним, или не работает вовсе. Для успешных тренировок необходимо поддерживать в собаке уважение к себе. Они быстро обучаются; фокус в том, чтобы не давать им скучать. Именно благодаря этим своим чертам самоеды получили характеристику "собак с нетипичным послушанием".

Я обнаружила и кое-что еще. Знаменитый норвежский исследователь и лауреат Нобелевской премии мира Фритьоф Нансен, почти достигший Северного полюса, накануне своей экспедиции 1895 года провел сравнительное исследование разных пород собак. Оно показало, что "самоеды превзошли другие породы в целеустремленности, сосредоточенности, выдержке и инстинктивной способности к работе в любом состоянии".

Иными словами, вопреки исследованию "доктора" Стенли Корена, самоеды были необычайно умными, работоспособными и гораздо более целеустремленными, чем другие собаки. Моя душа пела. Как по мне, так это была совершенная комбинация личных качеств. Если единственной проблемой было упрямство и непослушание, то с этим я непременно справлюсь.

Как-то вечером после очередной ссоры с девочками из-за музыки я поспорила с Джедом. Он всегда меня поддерживал, но беспокоился, что я слишком сильно давлю и что в доме нечем дышать от напряжения. В свою очередь я обвинила его в эгоизме. “Ты думаешь лишь о своих книгах и своей жизни, — атаковала я. — Какое будущее представляешь ты для Лулу и Софии? Ты вообще когда-нибудь размышлял об этом? О каком будущем для Коко ты мечтаешь?”

На лице у Джеда появилось забавное выражение, и через секунду он расхохотался. Он подошел и поцеловал меня в макушку.

— Мечты о будущем Коко — это же смешно, — сказал он ласково. — Не переживай, мы поработаем над этим.

Я не поняла, что смешного он нашел в моих словах, но была рада тому, что мы больше не ссоримся.

Глава 14
Лондон, Афины, Барселона, Бомбей

Мне свойственно поучать окружающих. И, как у многих менторов, у меня есть несколько любимых тем, к которым я постоянно возвращаюсь. Взять хотя бы мою серию лекций об антипровинциализме. Одна мысль об этом сводит меня с ума.

Всякий раз, когда я слышу, как София и Лулу хихикают над иностранным именем — это может быть Фрик де Грут или Квок Гам, — я зверею. "Вы знаете, какими равнодушными и недалекими выглядите? — взрываюсь я. — Джасминдер и Парминдер — популярные имена в Индии. К тому же вы живете в этой семье! Какой позор. Моего дедушку с маминой стороны звали Га-Га Юнг — и вы думаете, это смешно? Мне следовало так назвать кого-нибудь из вас. Никогда не судите о людях по их именам".

Не верю, что мои девочки когда-нибудь будут смеяться над чьим-то акцентом, но знаю, что смеялись бы наверняка, если б я их не воспитывала. Дети могут быть ужасно жестокими. "Даже не думайте когда-либо смеяться над иностранным акцентом, — повторяла я им при любом удобном случае. — Знаете, что такое акцент? Это признак храбрости. Чтобы попасть в эту страну, люди пересекли океаны. У моих родителей есть акцент, и у меня тоже. Меня отправили в детский сад, когда я не говорила ни слова по-английски. Даже в третьем классе одноклассники смеялись надо мной. И знаете, где они сейчас? Работают дворниками".

— Откуда ты знаешь? — спросила София.

— Думаю, София, гораздо важнее, чтобы ты спросила себя, что было бы, если б ты переехала в Китай. Как тебе кажется, твой акцент был бы идеальным? Не хочу, чтобы ты была хрестоматийной провинциальной американкой. Ты знаешь, насколько американцы толстые? А сейчас, через три тысячи лет, китайцы тоже стали толстыми, потому что они едят в *KFC*.

— Подожди, — сказала София, — не ты ли рассказывала мне, что в детстве была настолько толстой, что вы не могли ничего купить тебе в магазинах и твоя мама перешивала для тебя одежду?

— Все верно.

— И ты была такой, потому что мама пичкала тебя лапшой и пельменями, — продолжала София. — Разве не ты однажды съела зараз сорок пять сиомай[1]?

1 Традиционная индонезийская еда, представляющая собой рыбные клецки с арахисовым соусом.

— Именно, — ответила я. — Мой папа так мной гордился. Это было в десять раз больше, чем мог съесть он сам. И в три раза больше, чем могла съесть моя сестра Мишель. Она была тощей.

— Значит, от китайской еды тоже можно растолстеть, — подвела итог София.

Возможно, моя логика не была безупречной. Но я пыталась донести до детей свою точку зрения. Я ценю космополитизм, и, чтобы удостовериться, что на девочек влияют самые разные культуры, мы с Джедом постоянно брали их во все поездки, даже когда нам приходилось спать с ними в одной кровати, чтобы не переплачивать за гостиницу. В результате к тому моменту, когда им исполнилось соответственно двенадцать и девять лет, они уже побывали в Лондоне, Париже, Ницце, Риме, Венеции, Милане, Амстердаме, Гааге, Барселоне, Мадриде, Малаге, Лихтенштейне, Монако, Мюнхене, Дублине, Брюсселе, Брюгге, Страсбурге, Пекине, Шанхае, Токио, Гонконге, Маниле, Стамбуле, Мехико, Канкуне, Буэнос-Айресе, Сантьяго, Рио-де-Жанейро, Сан-Паулу, Ла-Пасе, Сюкре, Кочабамбе, на Ямайке, в Танжере, Фесе, Йоханнесбурге, Кейптауне и на скале Гибралтар.

Каждый год мы вчетвером с нетерпением ждали нашего следующего отпуска. Иногда мы планировали поездки так, чтобы отдыхать вместе с моими родителями и Синди, и путешествовали всемером в огромном микроавтобусе, которым управлял Джед. Мы хихикали над тем, как прохожие пялились на нас, пытаясь вникнуть в нашу причудливую расовую комбинацию. (Возможно, Джеда усыновила семья из Азии? Или, наоборот, он везет нас через полмира, чтобы продать в рабство?) София и Лулу обожали своих бабушку и дедушку, которые души не чаяли в девочках и общались с ними абсолютно не так, как в свое время со мной.

Особенно девочки были очарованы моим отцом, не похожим на всех тех людей, которых они встречали раньше. Он постоянно исчезал в переулках и возвращался с местными специалитетами вроде супа с клецками (как в Шанхае) или сокки[1] (как в Ницце). (Мой отец любит все пробовать; в западных ресторанах он часто заказывает сразу два горячих.) Мы неизменно попадали в нелепые ситуации: на вершине горы у нас заканчивался бензин или мы оказывались в одном вагоне с марокканскими контрабандистами. Мы пережили потрясающие приключения, оставившие воспоминания, которыми все мы очень дорожим.

Существовала только одна проблема: музыка.

Дома у девочек ни дня не проходило без репетиций, даже в дни рождения и когда они болели (адвил) или только что побывали у стоматолога (тайленол-3 с кодеином). И я не понимала, почему мы должны пропускать уроки во время путешествий. Даже мои родители не одобряли меня. “Это безумие, — говорили они, качая головами, — дай девчонкам порадоваться каникулам. Несколько дней без музыки им не помешают”. Но серьезные музыканты

1 *Сокка* — лепешка из нута, традиционное блюдо юга Франции.

так не поступают. Со слов учителя Лулу мистера Шугарта, "пропустив день занятий, ты начинаешь играть хуже". Также я указывала девочкам: "Вы знаете, что будут делать Кимы, пока мы в отпуске? Репетировать. Кимы не ездят в отпуск. Так хотим ли мы, чтобы они нас опередили?"

В случае Лулу с логистикой все было просто. Скрипка отлично помещалась на верхнюю полку самолета. С Софией было гораздо сложнее. Если мы отправлялись куда-нибудь в Штатах, несколько междугородних звонков обычно решали проблему. Оказалось, что во многих американских отелях есть рояли. Один обычно стоит в лобби, а два других — в бальном зале и совещательной комнате. Мне нужно было всего лишь заранее созвониться с консьержем и забронировать большой зал в чикагском *Marriott* с шести до восьми утра или *The Wentworth Room* в отеле *Langham* в Пасадене с десяти вечера до полуночи. Иногда случались забавные истории. На Мауи консьерж отеля *Grand Wailea* усадил Софию перед синтезатором в баре *Volcano*. Но синтезатор был на две октавы короче, чем требовалось для "Полонеза" Шопена. К тому же тогда там проходили занятия для дайверов, и в конечном итоге София занималась в подвале, где реставрировали кабинетный рояль.

Гораздо труднее было найти для Софии инструмент за границей, и для этого часто требовалась изобретательность. Сложнее всего дела обстояли, как это ни удивительно, в Лондоне. Мы провели там четыре дня, поскольку Джеда должны были наградить за его книгу “Интерпретация убийства” — исторический триллер о единственном визите Зигмунда Фрейда в США в 1909 году. Книжка Джеда какое-то время была бестселлером в Британии, мужа там считали знаменитостью. Но это не помогло моей борьбе на музыкальном фронте. Когда я спросила портье нашего бутик-отеля *Chelsea* (любезность со стороны издателя Джеда), можно ли нам позаниматься на их фортепиано в библиотеке, она посмотрела на меня с ужасом, как будто я предложила превратить гостиницу в лагерь лаосских беженцев: “В *библиотеке*? О боже мой, нет. Боюсь, что нет”.

Позже в тот же день горничная, видимо, донесла, что Лулу в нашем номере играла на скрипке, и нас попросили прекратить занятия. К счастью, через интернет я нашла в Лондоне место, где можно было арендовать рояль за небольшую почасовую оплату. Каждый день, пока Джед давал интервью на телевидении и радио, мы с девочками выходили из отеля, садились в автобус и ехали в тот магазин, зажатый между двумя фалафельными и напоминавший похоронное бюро. Через полтора часа мы возвращались в гостиницу.

И так мы поступали везде. В бельгийском Лёвене мы репетировали в здании бывшего монастыря. В другом городе, названия которого я уже не помню, я нашла пианино в испанском ресторане, и Софии разрешили там играть с трех до пяти часов дня, пока персонал мыл полы и накрывал столы к ужину.

Иногда Джед злился на меня из-за того, что я делаю наш отпуск слишком напряженным. “Так что, мы увидим сегодня Колизей, — вопрошал он сардонически, — или снова отправимся в тот фортепианный магазин?”

София тоже раздражалась. Она ненавидела, когда я говорила персоналу гостиницы, что она концертирующая пианистка: “Не говори этого, мама! Это же вранье, и мне стыдно”.

Я была совершенно с ней не согласна: “Ты играешь на фортепиано и выступаешь на сцене, София. И это делает тебя концертирующей пианисткой”.

Наконец, мы с Лулу все чаще и чаще погружались в утомительные споры на повышенных тонах, тратя слишком много времени и пропуская посещения музеев или отменяя бронь в ресторанах.

Оно того стоило. Откуда бы мы ни возвращались, София и Лулу поражали своих учителей тем, чему они научились вдали от дома. Вскоре после поездки в Сиань, где я заставляла Софию практиковаться по два часа на заре, прежде чем мы шли смотреть на восьмитысячную Терракотовую армию, созданную по приказу первого китайского императора Цинь Ши Хуана, чтобы служить ему в загробной жизни, — София выиграла свое второе концертное состязание, исполнив моцартовский Концерт №15 си-бемоль мажор. В то же время Лулу приглашали выступать первой скрипкой в разнообразных трио и квартетах, и мы неожиданно стали объектом внимания другого учителя, искавшего молодые таланты.

Но даже я должна признать, что периодически бывало слишком тяжело. Помню, как однажды мы с моими родителями поехали в отпуск в Грецию. После того как мы осмотрели Афины (где нам удалось проскользнуть в крошечный класс между Акрополем и храмом Посейдона), мы сели в маленький самолетик и полетели на остров Крит. В пансион мы приехали около трех часов дня, и мой отец тут же захотел отправиться на прогулку. Он не мог дождаться момента, когда покажет девочкам Кносский дворец, где, согласно легенде, минойский царь Минос держал заключенного в подземном лабиринте Минотавра — чудовище с телом человека и головой быка.

— Хорошо, папа, — сказала я, — но сначала нам с Лулу нужно десять минут позаниматься скрипкой.

Все обменялись тревожными взглядами. "Может быть, позанимаетесь после обеда?" — спросила моя мать.

— Нет, мам, — ответила я твердо. — Лулу пообещала мне это, поскольку вчера хотела закончить пораньше. И если она не будет упираться, урок реально займет у нас десять минут. Сегодня мы пойдем легким путем.

Я вовсе не хотела причинить кому-то страдания. Джед, София, Лулу и я оказались запертыми в тесной комнате. Джед лежал на покрывале, мрачно силясь сосредоточиться на старом номере *Herald Tribune*; София заперлась в ванной и пыталась читать; мои родители ждали в холле, боясь вмешиваться и опасаясь, что другие постояльцы подслушают, как мы с Лулу пререкаемся, кричим и провоцируем друг друга. ("Эта нота снова была плоской, Лулу". — "Вообще-то она была острой, ты ничего не понимаешь, мама".) Понятное дело, что через десять минут, когда Лулу не сыграла правильно вообще ничего, я не прекратила занятие. Когда все закончилось, заплаканная Лулу была в ярости, Джед не говорил ни слова, мои родители хотели спать, да и Кносский дворец в тот день был закрыт.

Я не знаю, что мои дочери будут вспоминать об этом двадцать лет спустя. Будут ли они говорить собственным детям: "Моя мать фанатично все контролировала и даже в Индии заставляла нас заниматься перед тем, как мы шли осматривать Бомбей или Нью-Дели" — или они сохранят более приятные воспоминания. Возможно, Лулу вспомнит, как красиво звучало вступление скрипичного концерта Бруха, которое она исполняла в отеле в Агре перед нашим арочным окном, выходившим прямо на Тадж-Махал. Будет ли София вспоминать с горечью тот момент, когда я накинулась на нее в Барселоне за то, что ее пальцы недостаточно высоко взлетали над клавишами? Если так, то, надеюсь, она также вспомнит и Рокбрюн — французскую деревушку, прилепившуюся к скале, и менеджера отеля, который, услышав игру Софии, пригласил ее выступить перед рестораном, полным гостей. В зале, многочисленные окна которого выходили на Средиземное море, она исполняла Рондо каприччиозо Мендельсона и заслужила объятия и аплодисменты посетителей.

Глава 15
Попо

Флоренс

В январе 2006 года моя свекровь Флоренс позвонила из своей манхэттенской квартиры. “Мне только что звонили из приемной врача, — сказала она странным, слегка напряженным голосом, — и на сей раз они сказали, что у меня острый лейкоз”. Всего двумя месяцами раньше Флоренс диагностировали раннюю стадию рака груди, и, надо отдать должное ее стойкости, через операцию и химиотерапию она прошла без единой жалобы. Последнее, что я слышала о ней, — все прекрасно и она вернулась обратно в Нью-Йорк с мыслями о второй книге.

У меня засосало под ложечкой. Флоренс выглядела на шестьдесят, хотя ей было уже в районе семидесяти пяти. "Это не может быть правдой, Флоренс, это, должно быть, ошибка, — сказала я глупо. — Позволь мне позвонить Джеду, и он выяснит, в чем дело. Не переживай. Все будет хорошо".

Но ничего хорошего не было. Через неделю Флоренс легла в пресвитерианскую больницу Нью-Йорка и начала курс химиотерапии. После долгих часов мучительных исследований, второго и третьего экспертного мнений Джед помог Флоренс выбрать менее суровый план лечения, который бы обошелся без тяжелых последствий. Флоренс всегда прислушивалась к Джеду. Она говорила Софии и Лулу, что обожала его со дня его появления на свет на месяц раньше срока: "У него была желтуха, так что он, весь желтый, походил на морщинистого старичка". У Флоренс и Джеда много общего. Он унаследовал у своей матери эстетический вкус и чувство стиля. Все говорили, что он — ее точная копия, и это воспринималось как комплимент.

В молодости моя свекровь была роскошной женщиной. На фотографии в университетском ежегоднике она похожа на Риту Хейворт. Даже в свои пятьдесят — а именно столько ей было, когда мы впервые встретились, — она кружила головы на вечеринках. Она была остроумной и очаровательной, но очень требовательной. Вы всегда могли сказать, какие наряды она считает дешевкой, какую еду претенциозной, а каких людей — слишком экзальтированными. Однажды, когда я спустилась вниз в новом костюме, лицо Флоренс просветлело. "Ты прекрасно выглядишь, Эми, — сказала она тепло. — Сейчас ты следишь за собой намного лучше, чем раньше".

Флоренс была необычной. Ее очаровывал гротеск, и она всегда говорила, что от красивых вещей ей становится скучно. У нее был удивительно острый глаз, и в 1970-е она заработала кое-какие деньги, инвестируя в работы относительно неизвестных художников. Эти художники — среди них Роберт Арнесон и Сэм Гиллиам — в конечном итоге прославились, и приобретения Флоренс мгновенно поднялись в цене. Она никогда никому не завидовала и была странно равнодушна к людям, которые завидовали ей. Одиночество ее не беспокоило; она ценила свою независимость и отклоняла предложения руки и сердца многих успешных и богатых мужчин.

Хотя она обожала стильную одежду и открытия художественных галерей, больше всего в жизни она любила плавать в Кристал Лейк (где в детстве бывала каждое лето), готовить ужин для старых друзей и общаться с внучками, Софией и Лулу, которые по просьбе Флоренс звали ее Попо.

Ремиссия наступила в марте, через шесть недель после химиотерапии. К тому моменту Флоренс была хрупкой тенью себя прежней — я помню, какой маленькой она казалась на фоне больничных подушек, словно на 75% уменьшенная копия себя самой, — но при ней по-прежнему были ее волосы, достойный аппетит и жизнерадостность. Она пребывала в восторге от потери веса.

Мы с Джедом знали, что ремиссия — вопрос временный. Доктора не уставали повторять нам, что прогнозы не лучшие. Ее лейкемия была агрессивной, и рецидива следовало ожидать от полугода до года. Из-за ее возраста невозможно было пересадить костный мозг — короче говоря, она жила без шансов на выздоровление. Но Флоренс не принимала свою болезнь и понятия не имела, насколько все безнадежно. Джед несколько раз пытался прояснить ситуацию. Но Флоренс упорно отказывалась ее понимать и оставалась оптимисткой; казалось, ничто не заставит ее пойти ко дну. “О, дорогой, я намерена потратить кучу времени на фитнес, когда все это закончится, — говорила она. — Мои мышцы потеряли тонус”.

Мы должны были как можно скорее решить, что нам делать с Флоренс. О том, чтобы она жила одна, не шло и речи: она была слишком слаба, чтобы ходить, ей требовались постоянные переливания крови. И у нее не было почти никого, к кому она могла бы обратиться за помощью. По ее собственному выбору она почти не поддерживала контактов со своим бывшим мужем Саем, а ее дочь жила очень далеко.

Я предложила решение, лежавшее на поверхности: Флоренс должна жить с нами в Нью-Хейвене. Пожилые родители моей мамы жили с нами в Индиане, когда я была ребенком. Мать моего отца жила с моим дядей в Чикаго до самой своей смерти в восемьдесят семь лет. Я всегда считала, что смогу приютить своих родителей, когда возникнет необходимость. Это китайский путь.

К моему удивлению, Джеду этого не хотелось. Не было никаких сомнений в его преданности Флоренс. Но он напомнил мне, что у нас с ней часто возникали стычки и что я на нее злилась; что у нас обеих сложные характеры; что, даже несмотря на болезнь, Флоренс вряд ли будет держать свои взгляды при себе. Он попросил меня представить, что будет, если мы с Лулу начнем очередное сражение, а Флоренс захочет вступиться за свою внучку.

Джед был, конечно, прав. На протяжении лет мы с Флоренс ладили — она познакомила меня с миром современного искусства, и мне нравилось ходить с ней в музеи и галереи, но, как только родилась София, мы начали ссориться. На самом деле именно благодаря боданию с Флоренс я впервые обратила внимание на глубокие различия между китайским и как минимум одним из вариантов западного воспитания. Прежде всего, у Флоренс был вкус. Она разбиралась в искусстве, винах и еде. Ей нравились роскошные ткани и горький шоколад. Всякий раз, откуда бы мы ни возвращались, Флоренс расспрашивала девочек о цветах и запахах, с которыми они столкнулись в поездке. А еще у Флоренс было особое отношение к детству. Она считала, что оно должно быть полно спонтанности, свободы, открытий и нового опыта.

Бывая с нами на Кристал Лейк, Флоренс хотела, чтобы ее внучки плавали, гуляли и исследовали то, что им нравится. Я же, напротив, говорила девочкам, что, как только они сойдут с нашего крыльца, их похитят. Также я говорила, что в озере на глубине водится рыба, которая очень больно кусается. Возможно, в этом я перегибала палку, но иногда беззаботность равна беспечности. Однажды, когда Флоренс нянчилась с Софией вместо нас, я приехала домой и увидела свою двухлетнюю дочь бегающей по округе с садовыми ножницами размером с нее. Я с яростью выхватила их. "Она собиралась срезать немного цветов", — сказала Флоренс меланхолично.

Правда в том, что я не умею радоваться жизни. Это не самая сильная моя сторона. Я веду массу списков разных дел и ненавижу массаж и отпуск на Карибах. Флоренс считала, что детством надо наслаждаться. Я же думала, что это период тренировок, время закалять характер и инвестировать в будущее. Флоренс всегда хотела провести с внучками хотя бы один полноценный день и умоляла меня об этом. Но я никогда ей такого не позволяла. У девочек едва хватало времени на то, чтобы сделать уроки, позаниматься китайским и музыкой.

Флоренс нравились бунтарство и моральные дилеммы. Она также любила психологические игры. Я тоже, но только не тогда, когда в них участвовали мои дети. "София так завидует своей сестричке, — хихикнув, сказала Флоренс сразу после рождения Лулу. — Она явно хочет отправить Лулу туда, откуда та пришла". "Нет, это не так, — отрезала я. — София любит свою сестренку". Глядя на Флоренс, я видела, что она хочет посеять дух соперничества между сестрами. На Западе полно психических расстройств, которых нет в Азии. Как вы думаете, много ли китайцев страдают от дефицита внимания?

Будучи китаянкой, я почти никогда не вступала с Флоренс в открытую конфронтацию. Когда ранее я написала о “бодании с Флоренс”, я имела в виду, что критиковала и поругивала ее перед Джедом, но за ее спиной. С Флоренс я всегда была любезной и лицемерно-добродушной по отношению ко всем ее предложениям. Поэтому Джед был прав, тем более что именно он нес на себе основное бремя конфликта.

Но это не имело никакого значения, поскольку Флоренс была его матерью. В китайской традиции, когда дело касается родителей, обсуждать нечего. Родители — это родители, ты кругом им должен (даже если так не считаешь) и обязан сделать для них все (даже если это разрушает твою собственную жизнь).

В начале апреля Джед забрал Флоренс из больницы, привез в Нью-Хейвен и поселил на втором этаже нашего дома. Флоренс была невероятно потрясена и счастлива, как если бы мы все вместе отправились на курорт. Она жила в нашей гостевой комнате, рядом со спальней девочек и поблизости от нашей спальни. Мы наняли сиделку, которая готовила для нее и заботилась о ней, а физиотерапевты приходили к нам на дом. Почти каждый вечер я, Джед и девочки ужинали вместе с Флоренс; первые пару недель это неизменно происходило в ее комнате, так как она не могла спуститься вниз. Однажды я позвала нескольких ее друзей и устроила в ее комнате вечеринку с вином и сыром. Когда Флоренс увидела, какие сыры я купила, она была в шоке и отправила меня за другими. Вместо того чтобы разозлиться, я была рада, что она остается прежней и что ее хороший вкус передался моим дочерям. Также я запомнила, какие сыры покупать больше не стоит.

Хотя мы жили в постоянном страхе — Джед гонял Флоренс в больницу Нью-Хейвена дважды в неделю, — казалось, в нашем доме она чудесным образом восстанавливается. У нее был колоссальный аппетит, и она быстро набрала прежний вес. 3 мая, в ее день рождения, мы даже смогли пойти в местный ресторан. С нами также были наши друзья Генри и Марина, и они поверить не могли, что это та же Флоренс, которую они навещали в больнице полгода назад. В ассиметричном, с высоким воротником пиджаке от Иссея Мияке она снова блистала и совсем не выглядела больной.

Всего через неделю у Софии в нашем доме была бат-мицва[1]. Рано утром у Флоренс случился приступ, и Джед помчался с ней в больницу на срочное переливание крови. Но они вернулись вовремя, и, когда наши восемьдесят гостей пришли, Флоренс выглядела просто сказочно. После церемонии под безоблачно-голубым небом за столами с белыми тюльпанами гости ели французские тосты, клубнику и дим-сам — меню планировали София и Попо, — а мы с Джедом поражались тому, как много приходится тратить на то, чтобы все выглядело просто и непретенциозно.

1 В дословном переводе с иврита — “дочь Заповеди”. В иудаизме означает достижение девочками религиозного совершеннолетия, то есть двенадцати лет.

Неделю спустя Флоренс решила, что поправилась достаточно, чтобы вернуться в свою нью-йоркскую квартиру на тот период, что сиделка готова была остаться с ней. 21 мая Флоренс умерла, по-видимому от инсульта, который убил ее мгновенно. Тем вечером она собиралась пойти выпить, не зная, как мало времени ей осталось.

На похоронах София и Лулу произнесли короткие речи, которые написали самостоятельно. Вот что сказала Лулу:

> “Когда Попо жила в нашем доме, я проводила с ней много времени — мы вместе обедали, играли в карты и просто болтали. На две ночи мы остались вдвоем и нянчились друг с другом. Даже несмотря на то, что она болела и почти не могла ходить, она сделала так, чтобы я совсем ничего не боялась. Она была очень сильным человеком. Когда я думаю о Попо, я думаю о ее смехе и о том, какой счастливой она была. Она любила радоваться, что заставляло радоваться и меня. Я буду очень скучать по ней”.

А вот что сказала София:

> “Попо всегда хотела быть счастливой и двигаться вперед, чтобы жить полной жизнью и проживать каждую ее минуту. И я думаю, ей удавалось это вплоть до самого конца. Надеюсь, однажды я стану такой же, как она”.

Когда я слушала, как София и Лулу произносят эти слова, в моей голове роились мысли. Я была горда и рада тому, что мы с Джедом пошли по китайскому пути и взяли Флоренс к себе и что девочки стали свидетельницами всего этого. Также я была горда и рада тому, что София и Лулу помогали нам заботиться о ней. Но после слов "любила радоваться" и "была счастливой", прозвеневших в моей голове, я задумалась, возьмут ли меня девочки к себе и сделают ли то же самое для меня, когда я заболею, или же они выберут свободу и счастье.

Счастье — это не та концепция, на которую я привыкла опираться. Китайское воспитание со счастьем никак не связано. Это меня всегда беспокоило. Когда я вижу мозоли от фортепиано и скрипки на пальцах своих дочерей или отметины от зубов на клавишах, меня порой охватывают сомнения.

Но вот в чем дело. Когда я смотрю на распадающиеся семьи "западников", на всех этих взрослых сыновей и дочерей, которые терпеть не могут быть рядом с родителями и даже не разговаривают с ними, мне трудно поверить в то, что в основе западного воспитания лежит счастье. Просто удивительно, как много я встречала пожилых западных родителей, которые говорили мне, качая головами: "Как родитель ты не можешь победить. Неважно, что ты делаешь, твои дети будут расти в постоянной обиде на тебя".

Напротив, не могу сказать вам, как много я встречала азиатских детей, которые, признавая жесткость и требовательность своих родителей, с радостью и благодарностью, без тени всякой горечи и обиды говорили, что посвятили им свою жизнь.

Я действительно не знаю, почему так происходит. Возможно, это промывка мозгов. А может быть, стокгольмский синдром. Но есть одна вещь, в которой я уверена на все сто: западные дети определенно не счастливее китайских детей.

Глава 16
Поздравительная открытка

На похоронах все были тронуты словами Софии и Лулу. "Если бы только Флоренс могла слышать это, — сказала Сильвия, лучшая подруга моей свекрови. — Ничто другое не сделало бы ее счастливее". Как же, интересовались другие друзья, тринадцатилетняя и десятилетняя девочки смогли описать Флоренс так точно?

У всего есть предыстория.

Все началось на несколько лет раньше, когда девочки были еще довольно маленькими — может быть, в возрасте семи и чстырех лет. Был мой день рождения, и мы праздновали его в довольно посредственном итальянском ресторане, поскольку Джед забыл зарезервировать столик в более приятном месте.

Видимо, чувствуя свою вину, Джед бодрился. "О'ке-е-ей! Это будет отли-и-ичный ужин в честь мамы. Верно, девочки? И у каждой из вас есть маленький подарок для мамочки. Правда же?"

Я вымачивала черствую фокаччу в блюдце с оливковым маслом, которое принес официант. По настоянию Джеда Лулу протянула мне "сюрприз", оказавшийся открыткой. Точнее, это был кусок бумаги, криво сложенный пополам и с большим смайликом на "обложке". "С днем рождения, мамочка! С любовью, Лулу" — было нацарапано карандашом внутри над еще одним смайликом. Чтобы сделать эту открытку, Лулу потребовалось не больше десяти секунд. И я знала, как отреагировал бы Джед. Он сказал бы: "О, как здорово! Спасибо, золотце" — и запечатлел бы поцелуй на лбу Лулу. Затем он, вероятно, сказал бы, что не очень голоден и закажет себе только тарелку супа, а на второе — хлеб и воду, но что все мы можем брать себе столько еды, сколько, черт возьми, нам хочется.

Я вернула открытку Лулу. "Я не хочу это, — сказала я. — Я хочу открытку получше. Ту, в которую ты вложила кое-какие мысли и усилия. У меня есть специальная шкатулка, где я храню все открытки от тебя и Софии, и конкретно этой там не место".

— Что? — спросила Лулу, не веря собственным ушам. Я заметила, как на лбу у Джеда появились капельки пота.

Я снова схватила открытку и перевернула ее. Из сумки я достала ручку и нацарапала на обороте: "С днем рождения, Лулу! Ура!", добавив к этому большой кислый смайлик. "Тебе понравится, если я подарю тебе такое на твой день рождения, Лулу? Но я никогда бы так не сделала. Нет, я привожу к тебе фокусников и строю гигантские горки, что обходится мне довольно дорого. Я покупаю тебе здоровенные торты из мороженого в форме пингвинов и трачу половину своей зарплаты на дурацкие наклейки и всякие гирлянды, которые потом остается только выбросить. Я расходую столько сил, чтобы у тебя были хорошие дни рождения! И я заслуживаю лучшего, чем эта открытка. Так что она мне не нужна". Я отбросила открытку.

— Ты извинишь меня на секунду? — тихим голосом спросила София. — Мне нужно кое-что сделать.

— Дай-ка мне посмотреть, София. Передай это сюда.

С глазами, полными ужаса, София вытащила свою открытку. Она была больше, чем у Лулу, сделана из красной бумаги для аппликаций, но, несмотря на большую выразительность, такая же пустая. Она нарисовала несколько цветочков и подписала: "Поздравляю с днем рождения лучшую маму на свете! Ты мамочка №1!"

— Как мило, София, — сказала я с прохладцей. — Но этого все равно недостаточно. Когда я была в твоем возрасте, я писала стихи ко дню рождения своей мамы. Я вставала пораньше, убиралась в доме и готовила ей завтрак. Я старалась придумать что-нибудь интересное и вырезала для нее купоны на бесплатную мойку машины.

— Я хотела сделать что-нибудь получше, но ты настояла, чтобы я репетировала, — с негодованием запротестовала София.

— Тебе нужно было пораньше встать, — отрезала я.

Позже, тем же вечером, я получила две замечательные поздравительные открытки, которые люблю и храню по сей день.

Вскоре я рассказала эту историю Флоренс. Она рассмеялась, но, к моему удивлению, не выказала неодобрения. “Может, мне стоило делать то же самое с моими детьми, — сказала она задумчиво. — Просто мне всегда казалось, что если попросить о чем-то, то это не будет ничего стоить”. “Полагаю, слишком идеалистично думать, что дети сами по себе сделают что-то правильное, — ответила я. — Кроме того, если подтолкнуть их к тому, что ты хочешь, тебе не придется на них злиться”. “Но зато будут злиться они”, — заметила Флоренс.

Этот диалог я вспомнила много лет спустя, в день похорон. По законам иудаизма похороны должны пройти как можно быстрее после смерти, в идеале в течение суток. Флоренс умерла неожиданно, и мы с Джедом должны были за день найти раввина, место на кладбище и похоронную контору. Как всегда, Джед справился со всем быстро и четко, держа эмоции при себе, но было видно, что его всего трясет, а горе слишком велико, чтобы его терпеть.

В то утро я нашла девочек в их комнате прижавшимися друг к другу. Обе они казались ошеломленными и напуганными. До сих пор никто, столь же близкий им, не умирал. Они никогда не бывали на похоронах. А всего лишь неделей раньше Попо смеялась в соседней комнате.

Я сказала девочкам, что каждая из них должна написать по коротенькой речи в честь Попо, с тем чтобы прочесть днем на службе.

— Нет, мама, пожалуйста, не заставляй меня, — сказала София со слезами на глазах. — Я правда не знаю, как это сделать.

— Я не могу, — рыдала Лулу. — Уходи.

— Вы *должны*, — приказала я. — Обе. Попо бы этого хотела.

Сначала черновик Софии был ужасным, бессвязным и поверхностным. У Лулу тоже не получалось, но я привыкла считать свою старшую дочь лучшей. Возможно, поэтому я была так расстроена и вспылила. "Как ты могла, София? — спросила я злобно. — Это ужасно. Здесь нет никакого вдохновения. Здесь нет глубины. Это все равно что открытка из *Hallmark*, которые Попо ненавидела. Ты столь эгоистична. Попо так тебя любила, а ты. Сделала. Вот. *Это*!"

Не переставая рыдать, София закричала, что меня поразило, потому что в отличие от меня и Лулу она, как и Джед, редко позволяла своему гневу выливаться наружу: "Ты не имеешь права говорить о том, чего бы Попо хотела! Тебе она даже не нравилась — тебя просто заклинило на китайских ценностях и уважении к старшим, но ты постоянно издевалась над ней. Каждая мелочь, которую она делала, даже когда готовила кус-кус, вызывала у тебя ужасное морализаторство. Да ты кто вообще, манихеец[1]? Почему все должно делиться на черное и белое?"

Я не издевалась над Флоренс, подумала я с негодованием. Я просто защищала своих дочерей от ро-

1 Манихейство — религиозное учение о борьбе света и тьмы, требовавшее от своих последователей строжайшей воздержанности во всем и делившее мир строго по категориям добра и зла.

мантизации воспитательной модели, обреченной на провал. Кроме того, я была тем человеком, который часто приглашал Флоренс и который хотел, чтобы она постоянно видела девочек. Я открыла ей доступ к величайшему источнику радости — красивым, воспитанным, образованным внучкам, которыми она могла гордиться. Как могла София, которая была настолько умной, что даже знала слово "манихеец", не видеть этого и так набрасываться на меня?

Внешне я никак не отреагировала на гневную вспышку Софии. Вместо этого я внесла в ее речь кое-какую редакторскую правку — кое-что, что можно было бы упомянуть о ее бабушке. Я попросила ее рассказать о Кристал Лейк и совместных походах по музеям.

София ничем из этого не воспользовалась. Хлопнув дверью за моей спиной, она заперлась в своей комнате и самостоятельно переписала речь. Она отказалась показать ее мне, не взглянув на меня, даже когда успокоилась и переоделась в черное платье и колготки. И позже, когда во время службы София произносила свою речь, стоя на трибуне со спокойствием и достоинством, я не смогла пропустить строчки, на которых она сделала особый акцент: "Попо никогда не мирилась ни с враньем, ни с фильмами, которые не соответствовали книгам, ни с фальшивым проявлением эмоций. Попо не позволяла людям говорить от моего имени".

Это была прекрасная речь. И у Лулу тоже — она говорила с большой проникновенностью и уравновешенностью для своих десяти лет. Я могла только представить, как сияющая Флоренс произносит: “Я потрясена”.

С другой стороны, Флоренс была права. Дети определенно на меня злились. Но, будучи китайской матерью, я выкинула это из головы.

Глава 17
Караван на Чаутакву

Лето после ухода Флоренс было непростым. Для начала я проехалась по ноге Софии. Она выскочила из машины, чтобы взять свою теннисную ракетку, в тот момент, когда я сдавала задом, и ее левая лодыжка оказалась прямо под передним колесом. Мы с Софией обе упали в обморок. В результате ей сделали операцию под общим наркозом, а в ноге появились два здоровенных штифта. Затем все оставшееся лето София вынуждена была носить гипс и пользоваться костылями, что заметно портило ей настроение, но по крайней мере высвободило массу времени для занятий музыкой.

Коко, с каждым днем становившаяся все симпатичнее, скрашивала нашу жизнь. На всех нас она производила странный эффект: один взгляд на нее поднимал наше настроение. Так было всегда, даже несмотря на то, что я отказалась от своих амбиций: собаке достаточно было посмотреть на меня своими умоляющими шоколадно-миндалевидными глазами, и я готова была сделать все, что она хотела, — обычно пробежать четыре мили в дождь, или в град, или под палящим солнцем. В ответ Коко умела сопереживать. Я знала, как она ненавидит, когда я кричу на девочек, но она никогда не осуждала меня и понимала, что я просто пытаюсь быть им хорошей матерью.

Я не расстроилась из-за того, что мне пришлось пересмотреть свои мечты о будущем Коко, я просто хотела, чтобы она была счастлива. Я наконец-то пришла к пониманию, что Коко — животное и ее потенциал гораздо ниже, чем у Лулу и Софии. Хотя некоторые собаки в самом деле служат в саперных и антинаркотических отрядах, для большинства из них нормально не иметь работы или даже каких-то особых навыков.

Примерно в то же время у меня состоялся очень важный разговор с моим замечательным другом и коллегой Питером, который говорит на шести языках, а читает на одиннадцати, включая санскрит и древнегреческий. Одаренный пианист, подростком дебютировавший в Нью-Йорке, Питер присутствовал на одном из концертов Софии в *Neighborhood Music School*.

Позже он сказал мне, что игра Софии действительно экстраординарна. Затем он добавил: "Не хочу вмешиваться, но вы не думали о Йельской музыкальной школе? Возможно, Софии стоит пройти прослушивание на фортепианный факультет".

— Думаешь, сменить учителя? — мой мозг лихорадочно работал. *Neighborhood Music School* была одним из моих любимых мест почти целое десятилетие.

— Да, — ответил Питер. — Я уверен, что *Neighborhood Music School* — замечательная школа. Но по сравнению с другими детьми София играет в высшей лиге. Конечно, все зависит от того, чего ты хочешь. Возможно, для тебя это просто развлечение.

Его слова застали меня врасплох. Никто никогда не обвинял меня в том, что я развлекаюсь. И по чистой случайности я только что разговаривала по телефону с другим приятелем, который задавался тем же вопросом о Лулу.

Тем вечером я отправила два важных письма. Первое — скрипачке и выпускнице Йельской школы музыки Кивон Нам, которую я пригласила позаниматься с Лулу. Второе — профессору Вей-Йи Янгу, недавно начавшему работать в Йеле и воспитывавшему пианистов-вундеркиндов.

Все завертелось быстрее, чем я ожидала. По какой-то счастливой случайности профессор Янг знал о Софии; он слышал в ее исполнении фортепианный квартет Моцарта на благотворительном концерте и был приятно удивлен. Мы договорились пообедать вместе в конце августа, когда он вернется с летних гастролей.

Примерно столь же захватывающая вещь произошла и с Лулу. Кивон, в двенадцать лет дебютировавшая в качестве солистки в Линкольн-центре, рассказала про Лулу своей бывшей преподавательнице Альмите Вамос. А миссис Вамос и ее муж Роланд были в числе лучших учителей по классу скрипки. Их шесть раз принимали в Белом доме. В числе их бывших студентов — широко известные музыканты вроде Рейчел Бартон и многие победители престижных международных конкурсов. Вамосы жили в Чикаго и обучали только одаренных детей, многие из которых были азиатами.

Мы как на иголках ждали ответа миссис Вамос. И неделю спустя он пришел. Миссис Вамос приглашала Лулу выступить перед ней в *Chautauqua Institution* на севере штата Нью-Йорк, где она проводила лето. Миссис Вамос выбрала дату — 29 июля, то есть всего через три недели после получения письма. В течение следующих двадцати дней Лулу не занималась ничем, кроме скрипки. Чтобы выжать из нее максимум, я платила Кивон за два, а иногда даже за три урока в день. Когда Джед увидел счета, он не поверил своим глазам. Я сказала, что мы со всем справимся, просто не будем ходить все лето по ресторанам и покупать новую одежду. "Кроме того, — сказала я с надеждой, — есть аванс, который ты только что получил за новый роман".

— Тогда мне стоит прямо сейчас начинать писать его продолжение, — мрачно ответил Джед.

— Нет ничего лучше, чем потратить деньги на наших детей, — заметила я.

Джеда ждал еще один неприятный сюрприз. Я думала, что добраться до миссис Вамос мы сможем часа за три-четыре, и сказала об этом мужу. Мы планировали выехать за день до прослушивания, и Джед, заглянув в карту, спросил: "Еще раз — где это место?"

К сожалению, я не представляла, насколько велик штат Нью-Йорк. Чаутаква оказалась рядом с озером Ири, недалеко от Канады.

— Эми, это девять часов езды, а никак не три, — раздраженно сказал Джед. — Как долго мы там пробудем?

— Всего одну ночь. Я записала Софию на курсы компьютерной анимации, которые начинаются в понедельник, — пусть порадуется чему-то, пока ходит на костылях. Но я уверена, что мы сможем доехать за семь...

— А что мы сделаем с Коко? — перебил меня Джед.

Коко всего два месяца назад научилась не разносить дом и никогда никуда не выезжала.

— Думаю, будет здорово взять ее с собой. Получится наш первый совместный отпуск, — сказала я.

— Так себе отпуск — проехать восемнадцать часов за два дня, — отметил Джед, как мне показалось, немного сварливо. — И как насчет того, что у Софии нога сломана? Разве ей не надо держать ее приподнятой? Как мы все поместимся в машину?

У нас был старый джип "чероки". И я думала, что Софию мы положим на заднее сиденье так, чтобы ее голова лежала у Лулу на коленях, а нога — на стопке подушек. Коко всю дорогу могла бы ехать в багажнике с нашими сумками и скрипками (да, во множественном числе, потом объясню). "Есть и еще кое-что, — добавила я. — Я попросила Кивон поехать с нами и сказала, что буду оплачивать ее работу, включая время, проведенное в дороге".

— Что? — недоверчиво переспросил Джед. — Это же обойдется нам в три тысячи долларов. И как мы посадим ее в машину? В багажник к Коко?

— Она может ехать на своей машине — я сказала, что оплачу бензин. Но вообще она не очень хочет ехать. Это долгая дорога, и ей придется отменить занятия с другими учениками. Чтобы сделать путешествие более приятным для нее, я позвала Эрона, ее нового парня, и предложила оплатить им три ночи в хорошем отеле. Я нашла потрясающее место, *William Seward Inn*, и забронировала им люкс на двоих.

— На три ночи, — сказал Джед. — Да ты шутишь.

— Если хочешь, мы можем остановиться в более дешевой гостинице и сэкономить.

— Я не хочу.

— Эрон отличный парень, — с уверенностью сказала я Джеду. — Ты его полюбишь. Он играет на французском рожке и обожает собак. Он предложил бесплатно посидеть с Коко, пока мы будем у миссис Вамос.

Мы выехали на рассвете, и белая “хонда” с Кивон и Эроном следовала за нашим белым джипом. Поездка была не из приятных. Джед настаивал, что будет за рулем всю дорогу — мачистские штучки, действовавшие мне на нервы. София говорила, что ей больно и что ее нога онемела. “Напомни мне еще раз, я-то зачем поехала?” — поинтересовалась она невинно.

— Потому что семья должна быть вместе, — ответила я. — Также это важное событие в жизни Лулу, и ты должна поддержать сестренку.

Все девять часов я, скрестив ноги, в напряжении просидела на переднем сиденье с едой для Коко, нашими вещами и мягким ковриком для ног. Моя голова была зажата между костылями Софии, упиравшимися в ветровое стекло.

Тем временем Лулу вела себя так, будто ее вообще ничто в мире не беспокоит. Так я поняла, что она в ужасе.

Глава 18
Пруд

— Что? — спросил Джед. — Скажи мне, что ты этого не говорила.

Это было за месяц до нашей поездки в Чаутакву.

— Я сказала, что думаю обналичить свои пенсионные сбережения. Не все, конечно, а только те, что от *Cleary*, — *Cleary*, *Gottlieb*, *Steen and Hamilton* было названием той адвокатской конторы с Уолл-стрит, где я работала до рождения Софии.

— С моей точки зрения, это бессмысленно, — заметил Джед. — Во-первых, ты должна будешь выплатить огромный налог и неустойку, равную почти половине суммы. Но гораздо важнее сохранить эти деньги до пенсии. Именно для этого и существует пенсионный фонд. Как важная составляющая прогресса и цивилизации.

— Есть кое-что, что я хочу купить, — сказала я.

— Что именно, Эми? — спросил Джед. — Если это то, чего ты действительно хочешь, я найду способ достать тебе это.

Мне очень повезло в любви. Джед красивый, забавный, умный, и он терпит мой плохой вкус и склочность. И вообще-то я нечасто что-то покупаю. Я не люблю ходить по магазинам, не бываю у косметолога и маникюрши и не коллекционирую украшения. Но каждый раз, когда у меня возникает неконтролируемое желание что-либо заполучить — к примеру, семисоткилограммовую глиняную лошадь из Китая, которая развалилась следующей же зимой, — Джед находит возможность купить это мне. В том конкретном случае меня обуревало сильнейшее желание купить Лулу по-настоящему хорошую скрипку.

Я связалась с несколькими авторитетными продавцами, которых мне порекомендовали, — с двумя в Нью-Йорке, одним в Бостоне и одним в Филадельфии — и попросила каждого прислать на пробу по три скрипки в рамках определенной ценовой категории. Они прислали мне по четыре. Три по моей цене и одну "чуть-чуть подороже", что означало — дороже в два раза, "но я решил послать ее в любом случае, так как это потрясающий инструмент и может быть именно тем, что вы ищете". Магазины, торгующие скрипками, такие же, как магазины, торгующие коврами в Узбекистане. Поскольку мы уперлись в новую цену, я попыталась убедить Джеда, что хорошая скрипка — все равно что произведение искусства или дом. “Так что, чем больше мы потратим, тем больше потом заработаем?” — спросил он сухо.

Тем временем мы с Лулу оттянулись по полной. Каждый раз, когда с доставкой приносили новую коробку, мы не могли дождаться, чтобы открыть ее. Было весело тестировать скрипки, читать об их происхождении, пытаться постичь разницу между ними. Мы опробовали несколько новых, но, по сути, старых скрипок, — 1930 года выпуска или раньше. У нас были скрипки из Англии, Франции и Германии, но в основном итальянские — обычно из Кремоны, Генуи и Неаполя. Мы с Лулу собирали всю семью на проведение слепых тестов, чтобы выяснить, узнаем ли мы, что за скрипка звучит, и понравится ли она нам, если мы не будем ее видеть, а только слышать.

Проблема заключалась в том, что мы с Лулу несовместимы и одновременно очень близки. Мы можем прекрасно ладить, но в то же время глубоко ранить друг друга. Мы всегда знаем, о чем думает другой — какого рода психологическая пытка в данный момент применяется, — и обе не можем ничего с этим поделать. Мы обе взрываемся, а затем приходим в себя. Джед никогда не был способен понять, как в одну минуту мы орем друг на друга, угрожая убийством, а в следующую уже лежим обнявшись, болтая о скрипках, или читая, или хохоча.

Так или иначе, когда мы приехали в студию миссис Вамос в Институте Чаутаквы, у нас при себе была не одна скрипка, а целых три. Мы так и не смогли принять окончательного решения.

“Здорово! — воскликнула миссис Вамос. — Я люблю пробовать разные скрипки”. Миссис Вамос была практичной и умной и обладала странным чувством юмора. Она была категоричной (“Я ненавижу 23-й концерт Виотти. Скука!”), властной и впечатлительной. Также она потрясающе ладила с детьми — по крайней мере с Лулу, которую она, казалось, приняла мгновенно. Джед ее тоже покорил. Единственным человеком, который, как мне кажется, миссис Вамос не понравился, была я. У меня возникло ощущение, что она сталкивалась с сотнями, может, даже тысячами азиатских матерей и меня сочла безвкусной.

Лулу сыграла для нее вступление из Третьего концерта Моцарта, после чего миссис Вамос сказала ей, что та потрясающе музыкальна. Она спросила, нравится ли Лулу играть на скрипке. Я, не зная, что дочь ответит, задержала дыхание. Лулу сказала, что нравится. Миссис Вамос отметила, что, хотя моя дочь музыкальна от природы, то есть у нее есть качества, которым нельзя обучить, она отстает в технике. Она спросила Лулу, играет ли та гаммы и этюды (“Какие именно?”).

Миссис Вамос сказала Лулу, что, если та хочет быть по-настоящему хорошей скрипачкой, ей нужно измениться. Для разработки безупречной техники, мышечной памяти и интонации требовались тонны гамм и этюдов. Также она сказала, что Лулу продвигается слишком медленно; что полгода на заучивание вступления к концерту — это слишком много: “Мои ученики твоего возраста могут выучить целый концерт за две недели, тебе стоит научиться этому”.

Затем миссис Вамос поработала с Лулу над Моцартом, строчка за строчкой, трансформируя ее игру буквально на моих глазах. Она была исключительным учителем: требовательным, но веселым, критичным, но вдохновляющим. Через час — пятеро или шестеро учеников уже зашли в класс и сели на пол со своими скрипками, — миссис Вамос дала Лулу домашнее задание и сказала, что будет рада увидеть нас завтра.

Я не могла в это поверить. Миссис Вамос хочет увидеть Лулу снова. Я чуть не подпрыгнула на стуле и, наверное, так и сделала бы, если бы в тот момент не увидела, как Коко вылетает из нашего окна, преследуемая Эроном с поводком в руке.

— Что это было? — спросила миссис Вамос.

— Это наша собака Коко, — ответила Лулу.

— Я люблю собак, а ваша выглядит довольно милой, — сказала одна из лучших преподавателей скрипки в мире. — Завтра мы также послушаем, как звучат эти скрипки, — добавила она. — Мне нравятся итальянские. Но, может быть, мы откроем для себя и французскую.

Вернувшись в отель, я дрожала от волнения. Я не могла дождаться начала занятий — какая прекрасная возможность! Я знала, что миссис Вамос окружали безумные азиаты, но была одержима желанием удивить ее, показать, из чего мы сделаны.

Я вытащила партитуру Моцарта ровно в тот момент, когда Лулу упала в глубокое кресло. “Ах, — вздохнула она удовлетворенно, откидывая назад голову. — Это был хороший день. Пошли поужинаем”.

— Поужинаем? — я не могла поверить своим ушам. — Лулу, миссис Вамос дала тебе задание. Она хочет видеть, как быстро ты продвигаешься. Это страшно важно, и это не игра. Давай же. Начнем работу.

— Ты о чем, мама? Я играла на скрипке пять часов кряду. — Это было правдой. Перед встречей с миссис Вамос Лулу все утро занималась с Кивон. — Мне нужен перерыв. Я больше не могу играть. К тому же уже полшестого, а это время ужина.

— Полшестого — не время ужина. Сначала мы позанимаемся, а потом вознаградим себя едой. Я уже зарезервировала столик в итальянском ресторане — твоем любимом.

— О-о-о-о-о нет, — заныла Лулу. — Ты серьезно? На сколько?

— На сколько что?

— На какое время ты зарезервировала столик?

— О! На девять часов, — ответила я, о чем потом пожалела.

— Девять? ДЕВЯТЬ? Это безумие, ма! Я не хочу! Не хочу!

— Лулу, я перенесу...

— Я НЕ ХОЧУ! Я не могу сейчас заниматься. И не буду!

Не стану вдаваться в подробности того, что за этим последовало. Достаточно двух фактов. Первый: мы не ужинали до девяти часов. Второй: мы не занимались. Вспоминая об этом, я не могу понять, откуда у меня брались силы и смелость сражаться с Лулу. Одна мысль о том вечере заставляет меня чувствовать себя измученной.

Но на следующее утро Лулу проснулась и сама пошла заниматься с Кивон, так что не все было потеряно. Джед настаивал, чтобы я устроила Коко долгую пробежку, что я и сделала. В полдень мы вернулись к миссис Вамос вместе с Кивон, и занятие снова прошло очень хорошо.

Я надеялась, что миссис Вамос скажет: “Я бы хотела взять Лулу в ученицы. Вы сможете раз в месяц летать в Чикаго на занятия?” На это я бы, конечно, согласилась. Но вместо этого миссис Вамос предложила Лулу весь следующий год интенсивно заниматься с Кивон. “Вы не найдете никого с лучшей техникой, чем у Кивон, — сказала миссис Вамос, улыбаясь своей бывшей ученице. — И, Лулу, тебе надо многое наверстать. Но через год или около того вы можете подумать о прослушивании в подготовительную школу Джуллиарда. Кивон, ты же так и сделала, верно? Там большая конкуренция, но, если ты будешь по-настоящему тяжело работать, Лулу, клянусь, ты поступишь туда. И конечно, я надеюсь, вы приедете ко мне следующим летом”.

Перед возвращением в Нью-Хейвен мы с Джедом и девочками заехали в природный заповедник и нашли там красивый пруд, окруженный буками и маленькими водопадами, про который владелец нашей гостиницы сказал, что это одно из тайных сокровищ региона. Коко боялась зайти в воду, она до этого ни разу не купалась, но Джед осторожно затащил ее на глубину, где и отпустил. Я боялась, что она пойдет ко дну, но стоило Джеду сказать, что она справится, как Коко благополучно поплыла к берегу по-собачьи, и мы радостно аплодировали ей, а когда она вышла из воды, вытерли ее и обняли.

В том-то и разница между собакой и дочерью, подумала я позже. Коко может делать то же, что и любая собака, — например плавать, — и мы аплодируем ей с гордостью и удовольствием. Представьте, насколько проще все было бы, если бы мы так же относились к детям! Но мы не можем себе такого позволить, это было бы халатностью с нашей стороны.

Я должна была быть начеку. Намек миссис Вамос был предельно ясен. Пришло время стать серьезными.

Глава 19
Как попасть в Карнеги-холл

София и ее репетитор,
мой отец наблюдает

Мое сердце разрывалось. Партитура была удручающе скучной, разреженной, всего лишь несколько отдельных нот *staccato* здесь и там, никакой плотности, небольшой диапазон. Да и сама пьеса такая короткая: шесть потрепанных откcерокопированных страниц.

Мы с Софией пришли в фортепианный класс профессора Вей-Йи Янга в Йельской школе музыки. Это была большая прямоугольная комната с двумя черными стенвеевскими роялями, стоявшими бок о бок — один для учителя, другой для ученика. Я уставилась на "Джульетту-девочку" из балета Сергея Прокофьева "Ромео и Джульетта", которую Вей-Йи только что предложил Софии исполнить на близившемся международном конкурсе.

Когда мы с Вей-Йи встретились, он сказал, что у него никогда не было таких молодых учеников, как София, которой только исполнилось четырнадцать. Он обучал исключительно студентов Йеля и некоторых талантливых абитуриентов. Услышав игру Софии, он захотел взять ее в ученицы, но на одном условии: она не станет требовать к себе особого отношения из-за своего возраста. Я заверила его, что с этим проблем не будет.

Мне нравится, что я могу рассчитывать на Софию. Она — кладезь внутренних сил. Она может справиться с чем угодно — с отчуждением, суровой критикой, унижением, одиночеством — даже лучше, чем я.

Так началось крещение Софии огнем. Как и у миссис Вамос, у Вей-Йи были просто космические ожидания в сравнении с тем, к чему мы привыкли. Количество музыки, которое он выдал Софии на первом занятии, — шесть пьес Баха, книга этюдов Мошковски, соната Бетховена, токката Хачатуряна и рапсодия соль-минор Брамса — впечатлило даже меня. Софии нужно во многом подтянуться, пояснил учитель; ее техника была не лучшей, а в репертуаре зияли пробелы. Еще более пугающими были его слова: “И не трать мое время на фальшивые ноты. На твоем уровне этому нет оправданий. Играть чисто — твоя прямая обязанность, так что время урока мы потратим на что-то другое”.

Но два месяца спустя, когда он предложил отрывок из сюиты Прокофьева к “Ромео о Джульетте”, моя реакция была противоположной. Прокофьев не казался мне сложным — он не производил впечатления композитора, музыка которого могла принести победу в конкурсе. Да и вообще, откуда взялся Прокофьев? Единственным, что я у него знала, была симфоническая сказка “Петя и волк”. Почему не был выбран кто-то более сложный вроде Рахманинова?

— Ох, это та пьеса, — сказала я вслух. — Прежний учитель Софии считал, что она слишком проста для нее. — Это было не совсем правдой. Вообще-то, это было совсем не правдой. Но я не хотела, чтобы Вей-Йи подумал, будто я бросаю вызов его мнению.

— Простая? — презрительно пророкотал Вей-Йи. У него был глубокий баритон, который совсем не вязался с его худощавым мальчишеским лицом. Ему было тридцать лет, он был наполовину китаец, наполовину японец, но вырос в Лондоне и знал русский язык. — Фортепианные концерты Прокофьева заоблачно трудные. И в этой пьесе нет ничего ординарного, ни единой ноты. Уверен, что сыграть ее хорошо может не каждый.

Я была довольна. Я люблю властность. Люблю экспертов. В этом я полная противоположность Джеду, который не терпит авторитарности, а всех экспертов считает шарлатанами. Но более важным было то, что играть Прокофьева непросто! Так сказал профессор Вей-Йи, эксперт. Мое сердце готово было выпрыгнуть из груди. Победители этого конкурса получат право выступить сольно в Карнеги-холле. До сих пор София участвовала только в региональных конкурсах. Я с ума сошла, когда она выступила с симфоническим оркестром *Farmington Valley*. Переход к международному конкурсу был довольно пугающим, но возможность выступить в Карнеги-холле — я едва могла думать об этом стоя.

В течение нескольких следующих месяцев мы с Софией узнали, что такое уроки мастера. Уроки, во время которых профессор Янг учил Софию играть "Джульетту-девочку", были одними из самых удивительных зрелищ, что я когда-либо видела. Как он помогал Софии привнести жизнь в эту пьесу, как шаг за шагом добавлял нюансы… Все, что я могла думать: "Этот человек гений, а я варвар. Прокофьев гений, а я кретинка. Вей-Йи и Прокофьев великие люди, а я одноклеточное".

Ходить на уроки Вей-Йи стало моим любимым занятием. Я с нетерпением ждала их всю неделю. Я с религиозным трепетом внимала каждой ноте, с моих глаз словно спала пелена. Иногда я чувствовала себя ужасно глупой. Что он имел в виду под "триадами" и "тритонами", под гармоническим смыслом музыки и почему кажется, что София понимает его с полуслова? В другие дни я видела то, что упускала София, — ястребиным взглядом я следила за игрой

Вей-Йи, иногда делая пометки в блокноте. Вернувшись домой, мы работали вместе иначе, совместно пытаясь усвоить и воплотить в жизнь мысли и инструкции Вей-Йи. Я больше не кричала на Софию и не сражалась с ней за занятия. Она была мотивирована и заинтригована. Казалось, будто ей и мне как ее младшему напарнику открывался новый мир.

Самой трудной частью в произведении Прокофьева была неуловимая природа темы Джульетты, легшая в основу этой музыки. Вот что София написала в своем школьном сочинении “Покорение Джульетты”:

> “Я только что сыграла последние ноты “Джульетты-девочки”, и в подвальной студии воцарилась мертвая тишина. Профессор Янг смотрел на меня. Я разглядывала ковер. Моя мама яростно строчила что-то в блокноте.
>
> Я прокрутила пьесу в голове. Это был ровный звукоряд или попадались резкие переходы? Я все их обнаружила. Динамика или темп? Я повиновалась каждому *crescendo* и *ritardando*. Насколько я могла судить, мое исполнение было безупречным. Так что жс было не так с этими людьми, чего еще они от меня хотели?
>
> Наконец профессор Янг заговорил: “София, какая температура у этого отрывка?”

Я лишилась дара речи.

— Это вопрос с подвохом. Я упрощу тебе задачу. Рассмотрим среднюю часть. Какого она цвета?

Я поняла, что должна ответить: "Синяя? Светло-голубая?"

— И какая температура у светло-голубого?

Это было просто: "Светло-голубой — значит, прохладный".

— Тогда пусть мелодия будет прохладной.

Ну и что это за инструкция? Пианино — музыкальный инструмент. Температура не является частью его уравнения. Я слышала в голове привязчивую, изысканную мелодию. Думай, София! Я знала, что это была тема Джульетты. Но кем была Джульетта и как она могла быть "прохладной"? Я вспомнила кое-что, о чем профессор Янг упоминал неделю назад: Джульетте, как и мне, было четырнадцать лет. Как бы я повела себя, если бы красивый взрослый мальчик вдруг заявил о вечной любви ко мне? Ну, подумала я про себя, она уже знает, что желанна, но также она польщена и смущена. Она очарована Ромео, но еще она застенчива и боится смотреть на него слишком пылко. *Это была та прохлада, которую я могла понять.* Я глубоко вздохнула и начала играть.

Поразительно, но профессор Янг был доволен. "Уже лучше. Но теперь сыграй это снова — так, будто Джульетта — это вся ты, а не только твои эмоции. Вот так", — и он сел на мое место за фортепиано, чтобы показать.

Никогда не забуду, во что он превратил эту короткую мелодию. Джульетта предстала перед моими глазами: манящая, уязвимая, немного отстраненная. Я поняла, что секрет заключался в том, чтобы позволить рукам передать характер пьесы. Профессор Янг сгорбился над инструментом; казалось, он что-то ласково шепчет клавишам. Его пальцы были выразительными и элегантными, как ноги балерины.

— Теперь ты, — приказал он.

К сожалению, Джульетта была лишь частью пьесы. Следующая страница подарила нового персонажа: влюбленного, подогреваемого тестостероном Ромео. Он поставил передо мной совсем другую задачу; он был настолько же сильным и мужественным, насколько Джульетта — слабой и эфемерной. И конечно, у профессора Янга появились очередные заковыристые вопросы.

— София, твои Ромео и Джульетта звучат совершенно одинаково. Какие инструменты исполняют их партии?

Я не поняла вопроса. “Э-э-э... фортепиано?” — подумала я про себя.

Профессор Янг продолжил: “София, этот балет был написан для целого оркестра. Будучи пианисткой, ты должна уметь воспроизводить звук любого инструмента. Так какой инструмент Джульетта, а какой — Ромео?”

Озадаченная, я перебрала несколько строк каждой темы.

— Может быть, Джульетта — это... флейта, а Ромео.... виолончель?

Выяснилось, что Джульетта была фаготом. Хотя насчет Ромео я не ошиблась. В оригинальной партитуре Прокофьева его тема действительно исполнялась виолончелью. Мне всегда было проще понять Ромео. Не знаю почему, но это совершенно точно не имело отношения к жизни. Может, я просто переживала за него. Очевидно, он был обречен и так безнадежно одурманен Джульеттой. Малейший намек на нее, и вот он уже о чем-то молит, стоя на коленях.

И если Джульетта долгое время ускользала от меня, я всегда знала, что смогу сыграть Ромео. Его переменчивое настроение требует использования различных исполнительских техник. Сначала он звонкоголосый и уверенный в себе. Затем, всего несколько мгновений спустя, он уже в отчаянии и о чем-то просит. Я пыталась тренировать руки, как учил профессор Янг. Было одинаково сложно играть как сопрано, так и приму-балерину, исполняющих партию Джульетты; а тут надо было всего лишь сыграть за виолончелиста".

Я приберегу финал сочинения Софии для второй части.

В конкурсе, к которому готовилась София, участвовали молодые пианисты со всего мира, еще не ставшие профессиональными музыкантами. Что необычно, там не было стандартного отбора. Победителей выбирали по результатам прослушивания пятнадцатиминутного *CD*, содержащего любую пьесу на выбор участника. Вей-Йи настаивал на том, чтобы наша запись начиналась с "Джульетты-девочки" и продолжалась темой "Улица просыпается", также из "Ромео и Джульетты". Словно куратор художественной выставки, он кропотливо отбирал другие пьесы, чтобы дополнить диск, — “Венгерскую рапсодию” Листа и сонату Бетховена.

Через два изнурительных месяца Вей-Йи сказал, что София готова. Как-то во вторник вечером, когда она сделала уроки и позанималась музыкой, мы поехали в студию профессионального звукорежиссера по имени Иштван, чтобы записать диск. Неожиданно болезненный опыт. Это должно быть просто, думала я про себя. Мы сможем повторить это столько раз, сколько будет нужно для совершенного звучания. В корне неверно. Я не учла, что, во-первых, руки пианиста устают, во-вторых, невероятно сложно играть, когда тебя вроде никто не слушает, но ты знаешь, что каждая нота записывается, в-третьих, как София объяснила мне со слезами на глазах, чем больше она играла и переигрывала, каждый раз стараясь излить эмоции, тем более невыразительно звучала пьеса.

Самой сложной неизменно была последняя страница, иногда даже последняя строчка. Все равно что наблюдать на Олимпиаде за любимой фигуристкой, про которую знаешь, что она выиграет золото, только если сможет нормально приземлиться после серии финальных прыжков. Невыносимое давление. Ты думаешь, что вот он, тот самый прыжок. А затем “тройной тулуп” отправляет ее прямиком на лед.

Нечто подобное происходило и с сонатой Бетховена в исполнении Софии, которая у нее просто не получалась. После третьей попытки, когда София пропустила в конце целую строчку, Иштван мягко предложил мне выйти подышать воздухом. Он был очень мил. Он носил черную кожаную куртку, черную лыжную шапочку и темные очки *Clark Kent*. "Ниже по улице есть кафе, — сказал он. — Может, вы купите Софии горячего шоколада? А я пью черный кофе". Когда пятнадцать минут спустя я вернулась с напитками, Иштван упаковывал вещи, а София смеялась. Они сказали мне, что Бетховен получился просто отличным — не безошибочным, но довольно музыкальным. И я испытывала слишком сильное облегчение, чтобы усомниться в их словах.

Мы взяли *CD* со всеми пробами Софии и отдали его Вей-Йи, который сделал финальную выборку ("первого Прокофьева, третьего Листа и последнего Бетховена, пожалуйста"). Затем Иштван смонтировал окончательный вариант, который мы скоростной почтой отправили на конкурс.

И принялись ждать.

Глава 20

Как попасть в Карнеги-холл. Часть вторая

Настала очередь Лулу! Китайская мать не знает отдыха, у нее нет времени на подзарядку, нет возможности слетать на пару дней с друзьями в Калифорнию на грязевые источники. Пока мы ждали ответа с конкурса Софии, я перенесла свое внимание на Лулу, которой в то время было одиннадцать лет, и мне пришла в голову замечательная идея: последовать совету миссис Вамос и записать девочку на прослушивание в довузовскую программу Джуллиарда, открытую для исключитсльно талантливых детей в возрасте от восьми до восемнадцати лет.

Кивон не была уверена, что Лулу хорошо подкована технически, но я знала, что мы все сможем, если поторопимся.

Джед этого не одобрял и пытался изменить мое решение. Программа Джуллиарда слишком интенсивна. Ежегодно тысячи одаренных детей со всего мира — в основном из Азии, России и Восточной Европы — пробуют попасть в нее. Абитуриенты делают это либо потому, что мечтают стать профессиональными музыкантами, либо потому, что их родители хотят, чтобы они стали профессиональными музыкантами, или справедливо полагают, что обучение в Джуллиарде поможет им попасть в один из колледжей Лиги плюща. Несколько счастливчиков, зачисленных в программу, занимаются в Джуллиарде по субботам по 9–10 часов.

Джед вовсе не сходил с ума от мысли, что каждую субботу придется вставать на рассвете и ехать в Нью-Йорк (я сказала, что сама займусь этим). Но его по-настоящему беспокоило жуткое давление и атмосфера "человек человеку волк", которой славится Джуллиард. Джед не был уверен, что это будет полезно Лулу. Она в этом тоже сомневалась. На самом деле Лулу настаивала на том, что ей не нужны никакие прослушивания и что она не поедет, даже если поступит. Но Лулу вообще никогда не хотела заниматься тем, что предлагала я, так что я посчитала нормальным проигнорировать ее мнение.

Была и еще одна причина, по которой Джед сомневался, что Джуллиард — это так уж хорошо: много лет назад он сам там учился. Окончив Принстон, он поступил на факультет драмы в Джуллиарде, а попасть туда было еще труднее, чем на их всемирно известный музыкальный факультет. Так что Джед переехал в Нью-Йорк, и среди его сокурсников были Келли Макгиллис ("Лучший стрелок"), Вэл Килмер ("Бэтмен навсегда") и Марсия Кросс (“Отчаянные домохозяйки”). Он встречался с балеринами, обучался технике Александера[1] и играл главную роль в “Короле Лире”.

А затем его выперли оттуда за “несоблюдение субординации”. В чеховском “Вишневом саде” ему досталась роль Лопахина, и режиссер попросила его что-то сделать. Джед с ней не согласился. Несколько недель спустя посреди репетиции она на ровном месте разозлилась на Джеда и стала в ярости ломать карандаши, крича, что не может работать с кем-то, кто “просто стоит там, насмехаясь надо мной и критикуя каждое мое слово”. Через два дня декан театрального факультета (которому посчастливилось быть женатым на обиженной режиссерше) сказал Джеду, что ему стоит подыскать себе другое занятие. Год спустя этим “другим занятием” стала Гарвардская школа права.

Возможно, я потому и считаю, что у этой истории хеппи-энд — останься Джед в Джуллиарде, мы бы с ним не встретились, так что я рассказываю ее на всех вечеринках, и после моих приукрашиваний она стала настоящим хитом. Кажется, люди думают — это круто, что профессор права ходил в Джуллиард и был знаком с Кевином Спейси (тот учился на несколько курсов старше Джеда). В общем, в неподчинении и изгнании из университета что-то есть, американцы такое любят.

А вот когда мы рассказывали эту историю моим родителям, все сложилось не так удачно. Это было

1 *Техника Александера* — комплекс упражнений, помогающий людям правильно использовать собственное тело, гармонично задействовать собственные мышцы.

еще до того, как мы с Джедом поженились. Фактически я буквально недавно рассказала маме с папой о существовании Джеда. Скрывая его почти два года, я наконец объявила, что всерьез с ним встречаюсь, и они были шокированы. Моя мать практически облачилась в траур. Когда я была маленькой, она давала мне множество советов, как найти подходящего мужа. "Не выходи замуж за слишком красивого — это опасно. Самое важное в муже — его характер и здоровье; если выйдешь замуж за ипохондрика, у тебя будет ужасная жизнь". Но она неизменно полагала, что здоровым мужем будет китаец, в идеале — фуцзянец со степенью по медицине или философии. Вместо него появился Джед, белый еврей. И никого из моих родителей не впечатлило, что он учился в школе драмы.

— Драма? — без тени улыбки повторял мой отец с дивана, где он и моя мать сидели рядышком, изучая Джеда. — Ты хотел стать актером?

Имена Вэла Килмера и Келли Макгиллис ровным счетом ничего не значили для моих родителей, и они продолжали сидеть как изваяния. Но когда Джед перешел к тому моменту, когда его выгнали с факультета и ему пришлось проработать полгода официантом, моя мать была шокирована.

— *Выгнали?* — ужаснулась она, бросив на отца измученный взгляд.

— Это теперь записано в твоем деле? — спросил отец мрачно.

— Папа, не беспокойся! — я успокаивающе рассмеялась. — Все обернулось удачно. Джед поступил на юрфак, и он очень любит свою работу. Это просто смешная история.

— Ты говоришь, сейчас он работает на правительство? — переспросил мой отец с осуждением. Уверена, в его голове нарисовалась картина, как Джед штампует формы для департамента автотранспорта.

В третий раз подряд я терпеливо объяснила родителям, что Джед, мечтая сделать что-то полезное для общества, ушел из юридической фирмы на Уолл-стрит ради работы в офисе прокурора Южного округа штата Нью-Йорк. "Это очень престижно, — объясняла я. — Получить *такую* должность было трудно. Джеду из-за этого на восемьдесят процентов снизили зарплату".

— Восемьдесят процентов! — взвилась моя мать.

— Мам, это только на три года, — вздохнула я устало. Среди наших западных друзей рассказы о том, что Джед согласился на понижение зарплаты ради работы на благо общества, всегда вызывали похвалы и одобрение. — Это же не просто так, это важный опыт. Джед любит суды. Возможно, он хочет стать судебным юристом.

— Почему? — спросила моя мать едко. — Потому что он хотел быть актером? — Свое последнее слово она буквально выплюнула, будто оно оставляло несмываемое пятно на репутации.

Забавно вспоминать об этом сейчас и видеть, как сильно изменились мои родители. К моменту, когда я мечтала о Джуллиарде для Лулу, они уже боготворили Джеда. (По иронии судьбы, сын одного из наших хороших друзей стал известным в Гонконге актером, и взгляды моих родителей на эту профессию в корне изменились.) Они также выяснили, что Джуллиард гремит на всю страну (Йо-Йо Ма!). Но, как и Джед, они не понимали, почему я хочу записать Лулу в эту подготовительную программу.

— Ты же не хочешь, чтобы она стала профессиональной скрипачкой? — обеспокоенно спросил мой отец.

У меня не было ответа, что не помешало мне продолжать упрямиться. Примерно тогда же, когда я отправила диск Софии на конкурс пианистов, я подала от имени Лулу заявление в Джуллиард. Как я уже говорила, воспитывать детей в китайском стиле значительно сложнее, чем в западном. В этом случае просто не бывает передышек. Сразу же, как только я закончила работать с Софией над ее пьесами, круглосуточно в течение двух месяцев, я взялась за Лулу.

Процесс прослушивания в Джуллиарде выстроен таким образом, чтобы давление было максимальным. Кандидаты возраста Лулу должны были подготовить минорные гаммы и арпеджио на три октавы, один этюд, две части фортепианного Концерта (быструю и медленную) и констрастную пьесу. Разумеется, наизусть. Во время прослушивания дети заходят в комнату, оставляя родителей за дверью, и играют перед жюри из пяти — десяти факультетских преподавателей, которые могут попросить исполнить любую часть любой пьесы в любом порядке и остановить исполнение в любой момент. Отделение скрипки гремело именами Ицхака Перлмана и дирижера Нью-Йоркского филармонического оркестра Глена Диктероу, а также нескольких самых известных в мире наставников юных скрипачей. Мы положили глаз на Наоко Танака, у которой, как и у миссис Вамос, были очень высокие требования к ученикам. Мы узнали о мисс Танака благодаря Кивон, которая занималась с ней девять лет, вплоть до своих девятнадцати, когда перешла к миссис Вамос.

Помогать Лулу готовиться было особенно тяжело, поскольку она по-прежнему утверждала, что ни за какие коврижки не пойдет на прослушивание. Она ненавидела все, что слышала об этом от Кивон. Она знала, что некоторые кандидаты летят из Китая, Южной Кореи и Индии только ради прослушивания, к которому готовились годами. Другие проходили прослушивание по нескольку раз, потому что им неизменно отказывали. Третьи брали частные уроки у преподавателей программы.

Я присела на корточки. “В конечном итоге это будет твое решение, Лулу, — соврала я. — Мы подготовимся к прослушиванию, и, если после этого ты не захочешь туда ехать, ты не поедешь”. “Никогда не отказывайся от чего-то только потому, что тебе страшно, — вещала я в другой раз. — Я многое боялась даже пробовать, но в конце концов отважилась и ни разу не пожалела об этом”. Чтобы улучшить продуктивность, я наняла на ежедневные многочасовые занятия не только Кивон, но и милую выпускницу Йеля по имени Лекси, которую Лулу обожала. Несмотря на то что у Лекси не было техники Кивон, она играла в Йельском оркестре и искренне любила музыку. Мудрая и спокойная, она волшебно влияла на Лулу. Они с Лулу обсуждали любимых композиторов и концерты, перехваленных скрипачей и интерпретации различных пьес. После такого общения Лулу всегда хотелось заниматься.

Тем временем я все еще преподавала в Йеле и заканчивала вторую книгу, на сей раз об истории великих империй и секретах их успеха[1]. Я также непрерывно ездила в командировки, читая лекции о демократизации и этнических конфликтах.

Однажды в каком-то аэропорту в ожидании рейса на Нью-Хейвен я проверила *BlackBerry* и увидела письмо от организаторов музыкального конкурса Софии. Несколько минут я была парализована предвкушением дурных новостей. Наконец, когда терпеть уже не было сил, я нажала на кнопку. София стала первым призером конкурса! Она поедет в Карнеги-холл! Была только одна загвоздка: ее выступление должно было состояться вечером накануне прослушивания Лулу в Джуллиарде.

1 *Day of Empire: How Hyperpowers Rise to Global Dominance — and Why They Fall*. 2007.

Глава 21
Дебют и прослушивание

София в Карнеги-холле, 2007

Это был большой день — день, когда София дебютировала в Карнеги-холле. На сей раз я действительно сошла с ума. Я поговорила с Джедом, и мы решили отказаться от нашего зимнего отпуска. Длинное концертное платье Софии из угольно-черного атласа на этот раз было куплено не в *David's Bridal*[1], а в нью-йоркском *Barneys*.

1 *David's Bridal* — американский магазин, продающий наряды для свадеб и других торжеств.

Для приема после выступления я забронировала *Fontainebleau Room* в отеле *St. Regis*, где мы также сняли два номера на две ночи. Помимо суши, крабовых пирогов, китайских пельменей, кесадильи, устричного бара и ледяной чаши с гигантскими креветками я заказала стейки, утку по-пекински и пасту (для детей). В последнюю минуту я добавила профитроли из грюйера, сицилийские рисовые шарики с лесными грибами и гигантский набор десертов. Также я напечатала приглашения и разослала их всем, кого мы знали.

Каждый раз, как приходил новый счет, брови Джеда взлетали вверх. “Так, летом в отпуск мы тоже не поедем”, — сказал он как-то. Тем временем мама была потрясена моей расточительностью. Когда мы были детьми, наша семья останавливалась только в *Motel* 6 или *Holiday Inn*. Но возможность попасть в Карнеги-холл бывает лишь раз в жизни, и я была полна решимости сделать это событие незабываемым.

Для большей ясности мне, вероятно, стоит отметить, что некоторые аспекты моего поведения — например, склонность к показушности и перебарщиванию — не характерны для большинства китайских матерей. Это, а также громкий голос и любовь к большим вечеринкам я унаследовала от отца. Даже когда я была маленькой, моя мама, обычно тихая и скромная, качая головой, говорила: “Это генетическое. Эми — клон этого чудака”. Последним именовался мой отец, которого я всегда идеализировала.

В *St. Regis* нам разрешили пользоваться гостиничным роялем, и за день до выступления мы с Софией репетировали на нем целый день. Джед переживал, что я захожу слишком далеко и пальцы Софии устанут; Вей-Йи сказал, что она знает свои пьесы от и до и что спокойствие и концентрация важнее всего остального. Но я должна была убедиться, что выступление будет безупречным, что София не забудет ни об одной ценной мелочи, которым Вей-Йи нас научил. Вопреки советам остальных мы репетировали почти до часа ночи. В конце я сказала Софии: “Ты выступишь отлично. Ты очень много работала и знаешь, что сделала все, что смогла, так что теперь уже не имеет значения, что происходит”.

На следующий день, когда настал важный момент — я едва могла дышать, вцепившись в подлокотник своего кресла в почти трупном окоченении, — София выступила блестяще. Я знала каждую ноту, каждую паузу, каждое прикосновение как свои пять пальцев. Я знала, где скрывались потенциальные ловушки; София обошла их все. Я знала все ее любимые отрывки, все самые мастерски сыгранные переходы. Я знала, где она, слава богу, не спешила, и видела, что София, позволив себе импровизировать, сама поняла — это колоссальный триумф.

После, когда все бросились поздравлять и обнимать ее, я расслабилась. Мне было не нужно, чтобы “София нашла меня глазами в толпе”, как пишут в дешевых романах. Я просто наблюдала издалека, как моя милая маленькая взрослая девочка смеется со своими друзьями и собирает урожай цветов.

В минуты отчаяния я заставляю себя вспоминать этот момент. На концерте присутствовали мои родители, как и отец Джеда Сай с женой Гарриет, и много наших друзей и коллег. Вей-Йи ради этого выступления приехал из Нью-Хейвена и страшно гордился своей юной ученицей. По словам Софии, это был один из самых счастливых дней в ее жизни. Я не только пригласила ее одноклассников, но и арендовала автобус, чтобы он отвез их из Нью-Хейвена в Нью-Йорк и обратно. Никто не аплодировал громче, чем банда восьмиклассников, — и никто, вероятно, не смог бы съесть столько креветочных коктейлей (за которые *St. Regis* взимает плату поштучно).

Как и обещала, привожу окончание школьного сочинения Софии "Покоряя Джульетту".

"Я не до конца понимала, что происходит, пока не обнаружила себя за кулисами — ошеломленную, дрожащую. Руки были ледяными. Я не могла вспомнить, как начиналась пьеса. Старинное зеркало отражало контраст между моим белым как мел лицом и черным платьем, и я подумала, сколько других музыкантов смотрелись в него же. Карнеги-холл. Кажется, здесь что-то не то. Это должно было быть недостижимой целью, ложной надеждой, что заставила бы меня упражняться всю мою жизнь. И вот я, восьмиклассница, здесь и собираюсь играть "Джульетту-девочку" для заинтригованной толпы.

Я таким трудом добивалась этого. Ромео и Джульетта были не единственными, чьи партии я выучила. Ласковый повторяющийся шепоток, сопровождавший Джульетту, принадлежал ее няньке; шумные аккорды — шкодливым друзьям Ромео. В этой части так или иначе проявляется так много меня. В тот момент я поняла, как сильно люблю эту музыку.

Давать концерт непросто — на самом деле это душераздирающе. Вы проводите месяцы, может быть, даже годы, совершенствуя пьесу; вы становитесь ее частью, а она — вашей. Играть на публике все равно что истекать кровью; это опустошает вас, и голова немного кружится. И, когда все кончено, ваша пьеса уже вам не принадлежит.

Настало время моего выступления. Я вышла к роялю и поклонилась. Освещена была только сцена, я не могла видеть лица зрителей. Я попрощалась с Ромео и Джульеттой и затем выпустила их в темноту".

Успех Софии придал мне энергии, наполнил новыми мечтами. Я не могла не отметить, что *Weill Recital Hall*, где выступала София, — в то время довольно симпатичный зал с арками в стиле *Belle Époque* и симметричными пропорциями — был относительно небольшим помещением на третьем этаже Карнеги-холла. Я знала, что гораздо больший, великолепный зал, который я видела по телевизору и в котором перед почти тремя тысячами человек выступали самые знаменитые музыканты мира, носил имя Айзека Стерна. Я сделала мысленную зарубку: мы должны попытаться однажды там выступить.

Но было и кое-что, что омрачало тот день. Мы все ощущали отсутствие Флоренс, оставившей после себя пустоту, которую нельзя было заполнить. Меня также укололо то, что не приехала Мишель, прежняя учительница Софии, — наш уход к Вей-Йи не прошел гладко, несмотря на все попытки сохранить с ней дружеские отношения. Но хуже всего было то, что у Лулу в день концерта случилось пищевое отравление. После того как она все утро репетировала с Кивон пьесы для прослушивания, она пошла перекусить в кафе. Двадцать минут спустя Лулу уже держалась за живот и корчилась от боли. Ей удалось справиться с собой на время выступления Софии, но в конце она пошатываясь вышла из зала; Кивон на такси отвезла ее обратно в отель. Лулу пропустила вечеринку, и мы с Джедом по очереди бегали в номер, где ее тошнило весь вечер, а моя мама присматривала за ней.

На следующее утро Лулу была похожа на привидение и едва могла ходить, но мы повезли ее в Джуллиард. Бело-желтое платье и большой бант в волосах оживляли ее лицо. Я подумывала отказаться от прослушивания, но мы вложили столько времени в подготовку, что уже и Лулу хотела принять в нем участие. В комнате ожидания мы повсюду видели мрачных и целеустремленных азиатских родителей, ходивших взад и вперед. Они казались настолько приземленными, что я подумала: как они вообще могут любить музыку? Тогда меня озарило, что почти все родители были иностранцами или эмигрантами, а музыка стала для них билетом сюда, и я поняла, что не похожа на них. У меня нет их смелости.

Когда Лулу вызвали и она побрела в аудиторию, мое сердце чуть не выпрыгнуло из груди, и я почти что сдалась. Но вместо этого мы с Джедом прильнули к двери и слушали, как она играет Третий концерт Моцарта и “Колыбельную” Габриэля Форе, и обе пьесы звучали как никогда трогательно. Потом Лулу сказала нам, что скрипач Ицхак Перлман и знаменитая преподавательница по классу скрипки Наоко Танака были среди членов жюри.

Месяцем позже по почте пришли дурные вести. Мы с Джедом мгновенно поняли это по толщине конверта; Лулу все еще была в школе. Прочитав две формальные строчки отказа, Джед отбросил письмо с отвращением. “Ну что, Эми, ты довольна? Что дальше?”

Когда Лулу пришла домой, я сказала ей так ласково, как только смогла: “Лулу, милая, знаешь что? Мы получили известия из Джуллиарда. Они тебя не приняли. Но это не имеет значения. Мы и не думали, что получится в этом году. Теперь мы знаем, что делать в следующий раз”.

Я не могла видеть того выражения, которое появилось на лице Лулу: на секунду мне показалось, что она вот-вот заплачет, но затем я поняла, что она вообще не собирается этого делать. Как могла я подготовить ее к такому разочарованию, подумала я про себя. Все эти потраченные нами часы теперь останутся черными пятнами в ее памяти. И как я могла когда-либо заставлять ее практиковаться…

— Я рада, что не прошла, — прервала мои мысли Лулу.

В этот момент она выглядела немного злой.

— Лулу, мы с папой так гордимся...

— Ой, прекрати, — взорвалась Лулу. — Я же сказала, мне все равно. Ты единственная, кто заставлял меня это делать. Я ненавижу Джуллиард. Я счастлива, что меня не приняли.

Не уверена, что бы я сделала, если бы на следующий день мне среди прочих не позвонила Наоко Танака. Мисс Танака сказала, что Лулу выступила прекрасно, продемонстрировав потрясающую музыкальность, и что она лично голосовала за поступление Лулу. Также она объяснила, что в том году было принято решение сократить количество учеников в классе скрипки, и поэтому беспрецедентное число кандидатов боролось за беспрецедентно малое число мест, что делало поступление еще более трудным, чем обычно.

Я только начала благодарить мисс Танака за ее внимание к нам, как она предложила взять Лулу в качестве ученицы в свою частную студию.

Я была потрясена. Частная студия мисс Танака считалась элитарной — в нее практически невозможно было попасть. Мое настроение поднялось, мысли вихрем закружились в голове. Чего я на самом деле хотела, так это отличного учителя для Лулу; меня не волновала та довузовская программа. Я знала, что учиться у мисс Танака значит ездить в Нью-Йорк каждые выходные. Также я не знала, как отреагирует на это Лулу.

И тем не менее я приняла приглашение от лица дочери.

Глава 22
Горькая победа в Будапеште

Лулу и София на сцене старой Академии Листа

После изнурительных часов подготовки к Джуллиарду, пищевого отравления и письма с отказом вы можете предположить, что я дала Лулу перерыв. Возможно, стоило бы. Но это происходило два года назад, когда я была моложе, и я так не поступила. Поблажки могли бы быстро расслабить Лулу. Это был бы легкий путь, по которому, как я видела, идут западные родители. Так что я еще больше увеличила нагрузку. И какое-то время расплачивалась за это, что не идет ни в какое сравнение с той ценой, которую я заплатила в конечном итоге.

Двумя самыми важными гостями на выступлении Софии в Карнеги-холле были Оскар и Криштина Поганы, друзья семьи из Венгрии, которые в то время как раз были в Нью-Йорке. Оскар — известный физик и близкий друг моего отца. Его жена Криштина — в прошлом концертирующая пианистка, активно участвующая в музыкальной жизни Будапешта. После выступления Софии Криштина бросилась к нам, нахваливая концерт, особенно ей понравилось исполнение “Джульетты-девочки”. И она сказала, что у нее появилась идея.

В ближайшем будущем, пояснила Криштина, в Будапеште пройдет Ночь музеев, когда по всему городу будут читать лекции, проводить концерты и устраивать представления. По цене билета в один музей люди могут до поздней ночи побывать в нескольких. В рамках проекта Академия музыки Ференца Листа проведет ряд концертов. Криштина подумала, что было бы здорово организовать выступление “вундеркинда из Америки” с Софией в качестве солистки.

Это будоражило. Будапешт — знаменитый музыкальный город, где родился не только Лист, но и Бела Барток и Золтан Кодай. Известнейший Государственный оперный театр Будапешта по акустике отстает лишь от Ла Скала в Милане и парижской Опера Гарнье. Площадкой, предложенной Криштиной, была старая Академия музыки — элегантное трехэтажное здание в стиле неоренессанс, служившее когда-то официальной резиденцией основателю академии Ференцу Листу. Старая академия (в 1907-м ее заменила Новая академия, расположенная в нескольких кварталах по соседству) в настоящее время работает как музей, где хранятся оригинальные музыкальные инструменты Листа, мебель и рукописные партитуры. Криштина сказала, что могла бы предоставить в наше распоряжение собственный рояль Листа! Также придет много народу, не говоря о том, что София впервые в жизни будет играть за деньги. Но передо мной стояла дилемма. Как будет чувствовать себя Лулу, когда снова увидит Софию в центре внимания сразу после фанфар Карнеги-холла? Она была довольна предложением мисс Танака, более того, тут же сказала, что хочет заниматься с ней. Но это лишь немного скрасило разочарование от Джуллиарда. Что еще хуже, я не скрывала информацию о том, что Лулу готовится к прослушиванию, и месяцы спустя ей приходилось иметь дело с людьми, интересовавшимися: "Ты уже знаешь результаты?" и добавлявшими: "Уверен, ты прошла".

Китайский подход к воспитанию ослабевает, когда дело касается отказа, он просто не предполагает такой возможности. Китайская модель нацелена на достижение успеха. Так складывается круг добродетелей, основанных на уверенности в себе, тяжелой работе и успехе. Надо было убедиться, что Лулу добьется того же, что и София, до того как станет слишком поздно.

Я разработала план и заручилась поддержкой матери в качестве своего агента. Я попросила позвонить ее старинной подруге Криштине и рассказать о Лулу и скрипке: как она играла для Джесси Норман и для знаменитой преподавательницы миссис Вамос и что обе они сказали, что Лулу потрясающе талантлива. Наконец, о том, что Лулу только что приняли в школу всемирно знаменитого учителя из всемирно знаменитого Джуллиарда. Я велела маме прощупать возможность выступления Лулу и Софии дуэтом, хотя бы с одной пьесой. Возможно, сказала я маме, этой самой пьесой станут Румынские народные танцы Бартока для рояля и скрипки, которые девочки недавно исполняли и которые, я знала, понравятся Криштине. Наряду с Листом Барток — самый знаменитый венгерский композитор, а его Народные танцы сенсационно популярны.

Нам повезло. Криштина, которая была знакома с Лулу и любила ее яркую индивидуальность, сказала, что ей нравится идея дуэта и что Народные танцы станут прекрасным дополнением к программе. Криштина добавила, что все организует и что даже поменяет название мероприятия на "Гениальные сестры из Америки".

Концерт был назначен на 23 июня, то есть всего через месяц. И снова я бросила все силы на подготовку. Я преувеличила, когда сказала маме, что девочки недавно выступали с Народными танцами; под "недавно" я имела в виду "полтора года назад". Чтобы заново разучить Танцы и исполнить их правильно, мы трудились вечера напролет. Тем временем София столь же отчаянно репетировала четыре произведения, которые Вей-Йи выбрал для нее: Рапсодию соль минор Брамса, пьесу одной китайской композиторши, "Ромео и Джульетту" Прокофьева и, конечно же, знаменитую Венгерскую рапсодию Листа.

Хотя репертуар у Софии был сложным, по-настоящему меня беспокоила Лулу. Я всем сердцем хотела, чтобы она была ослепительной. Я знала, что на концерт приедут мои родители; по случайному стечению обстоятельств они собирались в Будапешт как раз в июне, поскольку моего отца приняли в Венгерскую академию наук. Я также не могла огорчить Криштину. Но больше всего я хотела, чтобы Лулу чувствовала себя успешной, ради нее же самой. Это именно то, что ей надо, говорила я себе. Если она справится, это только придаст ей уверенности и гордости. Лулу сопротивлялась: я пообещала ей отдых после прослушивания, неважно для чего, и вот я нарушала обещание. Но я была закалена в боях, и, когда стало совсем невыносимо, наняла Кивон и Лекси в качестве помощников.

Мне часто задают вопрос: "Но, Эми, для кого ты все это делаешь — для своих дочерей?" — и за этим всегда стоит весомое: "Или для себя?" Я считаю это очень "западным" вопросом (потому что согласно китайскому мышлению ребенок — это твое продолжение). Но это не значит, что он не имеет значения.

Мой ответ, и я в нем уверена: все, что я делаю, я на сто процентов делаю для дочерей. В качестве главного доказательства могу сказать, что многое из того, чем я занимаюсь с Софией и Лулу, делает меня несчастной, утомляет и вообще мне неинтересно. Не так-то просто заставить ваших детей работать, когда они этого не хотят; тратить изнурительные часы — в то время как ваша собственная молодость ускользает — на попытки убедить детей, что они смогут чего-то добиться, когда они (и даже, возможно, вы сами) боятся, что у них не получится. "Знаете, как много лет моей жизни вы отняли? — постоянно спрашиваю я девочек. — Вам обеим повезло, что у меня такое колоссальное долголетие, на что указывают толстые мочки моих ушей".

Буду честной: иногда мне хочется, чтобы тот же вопрос задавали и западным родителям. Иногда я просыпаюсь утром в ужасе от того, что мне предстоит, и думаю, как легко будет сказать: "Лулу, я уверена, что мы без проблем можем пропустить один день репетиций". В отличие от своих западных друзей я никогда не скажу: "Пусть это меня убьет, но я просто хочу позволить моим детям сделать собственный выбор и следовать за зовом сердца. Это самая сложная вещь в мире, но я приложу все усилия, чтобы все так и было". Сказав это, мои друзья выпивают бокальчик вина или идут на йогу, в то время как я сижу дома и ору на своих детей, которые меня ненавидят.

За несколько дней до отъезда в Будапешт я обратилась к Криштине с вопросом, знает ли она опытных учителей музыки, которые могли бы порепетировать с девочками Румынские танцы, проведя своего рода генеральный прогон, и, возможно, дать пару советов, как правильно играть музыку венгерского композитора. Ответ Криштины принес хорошие вести. Знаменитая скрипачка из Восточной Европы, которую я назову миссис Казински, великодушно согласилась встретиться с девочками. Недавно выйдя на пенсию, миссис Казински занималась только с самыми одаренными скрипачами. У нее было одно “окно” в расписании в день, когда мы прилетаем, и я записала нас на это время.

В наш отель в Будапеште мы приехали за день до концерта, в 10 часов утра по местному времени, то есть в четыре утра по нью-хейвенскому. Мы были не до конца проснувшиеся и осоловелые. Джед и Лулу страдали от головной боли. Девочки хотели спать, да и чувствовали себя не очень, но, к сожалению, настало время урока у миссис Казински. Мы уже получили два сообщения о месте встречи, одно от моих родителей и одно от Криштины. Вчетвером мы погрузились в такси и через несколько минут были в новой Академии музыки, прекрасном здании в стиле ар-нуво с потрясающими колоннами, стоящем на площади Ференца Листа и занимающем почти целый квартал.

Миссис Казински встретила нас в просторной комнате на одном из верхних этажей. Мои родители и сияющая Криштина уже были там и сидели на стульях вдоль стены. В комнате также был старый рояль, к которому Криштина пригласила Софию.

Миссис Казински, мягко говоря, была нервной. Она выглядела так, будто муж только что бросил ее ради молодухи, но сделал это уже после того, как перевел все деньги на офшорный счет. Она воплощала все принципы строгой русской школы обучения:

нетерпеливая, требовательная и нетерпимая ко всему, что считает ошибочным. “Нет!” — заорала она, прежде чем Лулу успела взять хотя бы одну ноту. “Что… Почему ты так держишь смычок?” — спросила она с подозрением.

Девочки только начали играть, как она принялась останавливать Лулу каждые две ноты, расхаживая взад и вперед и дико жестикулируя. Она нашла постановку пальцев Лулу чудовищной и потребовала исправить это, несмотря на то что до концерта оставался всего день. Также она периодически поворачивалась к фортепиано, чтобы огрызнуться на Софию, хотя основное ее внимание сосредоточилось на Лулу.

У меня было плохое предчувствие. Безусловно, Лулу сочла указания миссис Казински неоправданными, а выговоры — несправедливыми. Чем больше Лулу бесилась, тем более натянуто она играла и тем меньше была способна концентрироваться. Ее фразировка ухудшилась вслед за интонацией. О нет, подумала я, начинается. Конечно же, в какой-то момент Лулу окончательно вышла из себя и вдруг вообще перестала пытаться что-либо делать, она даже не слушала. Тем временем миссис Казински неистовствовала. Кровь в ее висках пульсировала, а голос становился громче и настойчивее. Она продолжала говорить с Криштиной по-венгерски и стояла в опасной близости от Лулу, крича ей в лицо и тыча в плечо пальцем. В момент особой раздражительности миссис Казински стукнула Лулу карандашом по руке.

Я видела, как в Лулу нарастает ярость. Дома бы она мгновенно взорвалась. Но тут она изо всех сил пыталась сдержаться, продолжая играть. Миссис Казински снова взмахнула карандашом. Две минуты спустя в середине одного пассажа Лулу сказала, что ей нужно в туалет. Я быстро встала и вышла с ней в холл, где за углом после шумной ругани она разрыдалась от ярости.

— Я не хочу туда возвращаться, — сказала она злобно. — Ты не можешь заставить меня. Эта женщина ненормальная, я ненавижу ее. Ненавижу!

Я не знала, что делать. Миссис Казински была подругой Криштины. Мои родители по-прежнему сидели в аудитории. У нас все еще оставалось тридцать минут урока, и все ждали возвращения Лулу.

Я попыталась вразумить Лулу. Я напомнила, как миссис Казински говорила, что Лулу невероятно талантлива и потому она от нее так много требует. ("Мне все равно!") Я признала, что миссис Казински не слишком хороша в общении, но заметила, что она хороша в принципе, и умоляла Лулу дать ей еще один шанс. ("Ни за что!") Когда я исчерпала все мирные доводы, я обругала Лулу. Я сказала, что у нее есть обязательство перед Криштиной, которая пошла на все, чтобы организовать этот урок, и перед моими родителями, которые будут в ужасе, если она не вернутся: "Не только ты в этом участвуешь, Лулу. Ты должна быть сильной и найти способ справиться с собой. Мы все решаем массу проблем, и ты тоже обязана сделать это".

Она отказалась. Я была подавлена. Какой бы несправедливой ни была миссис Казински, она все еще была учителем, авторитетом, а одна из первых вещей, которые узнают китайцы, — это то, что авторитет нужно уважать. Неважно, что происходит, — вы не хамите родителям, учителям, старшим. В конечном итоге я вынуждена была вернуться в аудиторию одна, бесконечно извиняясь и объясняя (фальшиво), что Лулу разозлилась на меня. Затем я заставила Софию, которая тоже не была в восторге от миссис Казински и вообще не играла на скрипке, провести остаток занятия, якобы получая советы по игре дуэтом.

Вернувшись в отель, я наорала на Лулу, а затем мы поссорились с Джедом. Он сказал, что не винит дочь за побег и что, возможно, это лучшее, что она могла сделать. Он отметил, что она только что прошла через прослушивание в Джуллиарде, что ее измотал перелет и что ее ударила совершенно незнакомая женщина. "Не странно ли то, что миссис Казински пытается изменить манеру игры Лулу за день до концерта? Я думал, так делать нельзя, — сказал он. — Может, тебе стоит благосклоннее отнестись к Лулу. Я знаю, что ты пытаешься сделать, Эми. Но, если ты не будешь начеку, все может плохо кончиться".

Часть меня понимала, что Джед прав. Но я не могла об этом думать. Я должна сфокусироваться на выступлении. На следующий день я была сурова с обеими девочками, попеременно бегая между их классами в новой Академии.

К сожалению, возмущение Лулу поведением миссис Казински за ночь лишь усилилось. Казалось, она снова и снова проигрывала этот эпизод в голове, впадая во все большую ярость и отвлекаясь. Когда я попросила ее повторить пассаж, она внезапно взорвалась: “Она не знает, о чем говорит. Техника, о которой она твердила, просто смешна! Ты заметила, что она сама себе противоречила?” или “Не думаю, что она в принципе понимает Бартока, ее версия была ужасающей, что она себе думает?”

Когда я сказала ей, что она должна прекратить перемывать кости миссис Казински и тратить время зря, она ответила: “Ты никогда не была на моей стороне. И я не хочу сегодня выступать. Я больше этого не чувствую. Эта женщина все испортила. Пусть София выступает одна”. Мы сражались весь день, у меня от этого ум зашел за разум.

В конечном итоге, думаю, день спасла Криштина. Когда мы приехали в старую Академию музыки, она подбежала к нам, сияя энтузиазмом. Она взволнованно обняла девочек, подарила каждой по маленькому подарку и сказала: “Мы так счастливы, что вы у нас выступите. Вы *обе* так талантливы”, — она сделала ударение на втором слове. Качая головой, Криштина вскользь заметила, что миссис Казински не следовало пытаться изменить технику Лулу и что она, должно быть, забыла о том, что концерт уже завтра. “Ты такая талантливая, — повторяла она Лулу. — Это будет отличный концерт”. Затем она увлекла девочек подальше от меня в гримерку, где пробежалась с ними по программе. Вплоть до самой последней секунды я понятия не имела, как все пройдет и будет ли выступать одна моя дочь или обе. Но каким-то чудесным, невероятным образом Лулу вышла на сцену, и концерт закончился грандиозным успехом. Венгры, теплые и щедрые люди, аплодировали девочкам стоя и трижды вызывали их на бис, а директор музея пригласил моих дочерей выступить в любое другое время. После мы взяли Поганов, моих родителей, Сая и Гарриет, которые прилетели как раз вовремя, на торжественный ужин.

Но после той поездки кое-что изменилось. Для Лулу опыт общения с миссис Казински закончился бешенством и возмущением, вмешался в ее представление о справедливости. Это заставило ее восстать против китайской модели — если быть китаянкой означает получать побои от людей типа миссис Казински, то она не хочет иметь с этим ничего общего. Также она проверила и узнала, что, если отказаться делать то, что скажут ей учитель и мать, небеса на землю не упадут. Напротив, она победила. Даже мои родители вопреки тому, что когда-то вдалбливали мне, симпатизировали Лулу.

Со своей стороны, я чувствовала, что что-то разладилось, будто где-то открыли шлюз. Я потеряла контроль над Лулу. Ни одна китайская дочь не станет вести себя так, как Лулу. Ни одна китайская мать не позволит такому случиться.

Часть третья

Тигры способны на большую любовь, но бывают в ней очень навязчивыми. Также они страшные собственники. Одиночество часто становится той ценой, которую Тигры платят за собственную авторитарность.

Глава 23
Пушкин

Мои прекрасные снежные собаки

— Который из них наш? — спросил Джед. Дело происходило в августе 2008-го на Род-Айленде. По причинам, загадочным для всех, включая меня, я настаивала на том, что нам нужна вторая собака, поэтому мы отправились к той же заводчице, у которой купили Коко. По деревенской комнате с деревянными полами расхаживали три больших царственных самоеда. Двое из них, как мы выяснили, были гордыми родителями нового помета, а третий был дедушкой — искушенным и властным в свои почтенные шесть лет. Вокруг взрослых собак носились четверо шумных щенков — очаровательные тявкающие ватные шарики.

— Ваш там, — сказала заводчица, — под лестницей.

Обернувшись, мы с Джедом увидели в другой части комнаты нечто, отличавшееся от других щенков. Оно было выше, стройнее, не такое пушистое и менее симпатичное. Его задние лапы были на два дюйма длиннее передних, что придавало ему легкую неуклюжесть. Его глаза были узкими и очень косили, уши странно топорщились. Его хвост был длиннее и толще, чем у других щенков, и не сворачивался бубликом, а болтался из стороны в сторону, как у крысы, — возможно, потому что он был тяжелее.

— Вы уверены, что это вообще собака? — спросила я с сомнением. Вопрос был не таким нелепым, каким мог показаться. Во всяком случае, существо больше всего походило на ягненка, а учитывая, что заводчица на своей ферме занималась еще и разведением домашнего скота, поверить в это было легко.

Но заводчица была уверена. Она подмигнула нам: “Вы еще увидите. Она станет большой красавицей. У нее отличный высокий самоедский зад, как и у ее бабки”.

Мы забрали нашего нового щенка домой и назвали Пушкин — Пуш, если коротко, хотя это была девочка. Когда наша семья и друзья впервые увидели ее, они нам посочувствовали. Щенком Пуш скакала словно кролик и путалась в собственных лапах. “А вы можете вернуть ее обратно?” — спросила как-то моя мама, наблюдая за тем, как Пуш врезается в стены и кресла. “Я знаю, в чем проблема, — она слепая”, — осенило однажды Джеда, и он помчался с Пуш к ветеринару, который вынес заключение, что с глазами у собаки все в порядке.

Подрастая, она продолжала быть неуклюжей и часто падала, когда спускалась с лестницы. Ее туловище было таким длинным, что казалось, будто его передняя и задняя части не связаны друг с другом, поэтому собака передвигалась, словно слинки[1]. В то же время Пуш была удивительно гибкой; и по сей день она любит спать, распластавшись животом по холодному полу и растопырив в стороны все четыре лапы. Выглядит собака так, будто кто-то сбросил ее с большой высоты и она плашмя приземлилась на пол — когда она так лежит, мы зовем ее Звездочкой.

Заводчица была права: Пуш оказалась гадким утенком. За год она превратилась в собаку настолько восхитительную, что, когда мы гуляли, водители останавливали машины, любуясь ею. Она была крупнее Коко (которая из-за причуд разведения приходилась Пуш внучатой племянницей), тоже обладала белоснежным мехом и экзотическими кошачьими глазами. Некоторые ее мышцы были

1 *Слинки (slinky)* — игрушка-пружина, которую можно перекидывать из одной руки в другую, успокаивая нервы.

отлично разработаны благодаря хвосту, который теперь высоко вздымался над спиной Пуш, как огромный пышный шлейф.

Но если говорить о талантах, то в этой области Пуш не блистала. Коко тоже не особо впечатляла, но в сравнении с Пуш она была просто гением. По каким-то причинам Пуш, будучи ласковее и мягче Коко, не могла делать того же, что и остальные собаки. Она не умела хитрить и не любила бегать. Она по-прежнему застревала в смешных местах — под кухонной раковиной, в ягодных кустах или на входе и выходе из ванной — и нуждалась в помощи. Сначала я отрицала, что Пушкин была другой, и тратила часы, пытаясь научить ее хоть чему-нибудь, но безрезультатно. Правда, оказалось, что Пуш любит музыку. Она обожала сидеть рядом с фортепиано и подпевать (или, как говорит Джед, подвывать) игре Софии.

Вопреки всем ее изъянам мы обожали Пуш так же, как и Коко. На самом деле именно недостатки делали ее столь милой. “О-о-о, бедняжка! Какая же ты милая”, — ворковали мы, когда она пыталась запрыгнуть на что-нибудь и путалась в ногах, а мы бежали, чтобы успокоить ее. Или мы говорили: “О-о-о, только посмотрите на нее. Она не видит фрисби. Такая милая”. Изначально Коко побаивалась своей новой сестрички; мы видели, как она тайно проверяет Пуш. У Пуш, напротив, диапазон эмоций был ограниченным; настороженность и скрытность в него не входили. Ей нравилось повсюду таскаться за Коко, избегая любых активных действий.

Несмотря на всю прелесть Пуш, у нашей семьи не было никакой необходимости во второй собаке, и никто не осознавал этого лучше меня. Распределение ответственности за собак в нашем доме было следующим: девяносто процентов приходились на мою долю, десять — на остальных членов семьи. Начиная с шести часов утра я была единственной, кто кормил, мыл собак и бегал с ними; я также возила их в собачью парикмахерскую и к ветеринару. Усугубляло ситуацию то, что только что вышла моя вторая книга, и в дополнение к преподаванию на полную ставку и занятиям музыкой с девочками я постоянно летала по всей стране с лекциями. Я всегда находила способы "утрамбовать" командировки в Вашингтон, Чикаго или Майами в один день. Не раз я вставала в три утра, летела в Калифорнию на деловой обед, а потом с красными глазами появлялась дома. "О чем ты думаешь? — спрашивали меня друзья. — Тебе и так хватает проблем, с какой стати тебе понадобилась вторая собака?"

Моя подруга Энн думала, что этому есть простое объяснение. "Все мои друзья, — говорила она, — заводят собак, когда их дети вырастают. Родители готовятся к тому, что гнездо опустеет, а собаки заменяют им детей".

Забавно, что Энн так сказала, потому что китайское воспитание ничем не напоминает дрессуру. На самом деле оно — ее противоположность.

Воспитание собак — процесс социальный. Когда вы встречаете других собачников, вам есть что обсудить. Китайское воспитание, напротив, похоже на одиночное плавание, как минимум когда вы занимаетесь им на Западе, где предоставлены сами себе. Вы должны идти против прочной системы ценностей, корни которой лежат в эпохе Просвещения, индивидуальной автономии, системе развития ребенка и Всеобщей декларации прав человека, и нет никого, с кем бы вы могли откровенно поговорить, даже среди тех, кого вы любите и глубоко уважаете.

Например, когда София и Лулу были маленькими, я больше всего боялась, что одну из них пригласят на *детский праздник*. Ну зачем, зачем, зачем нужен этот жуткий западный обычай?! Однажды я попыталась быть честной, объясняя другой маме, что у Лулу нет свободного времени, потому что ей нужно играть на скрипке. Но та женщина не смогла этого понять. Мне пришлось прибегнуть к разнообразным оправданиям, которые западные люди считают нормальными: визит к окулисту, физиотерапия, домашняя работа. В какой-то момент я увидела обиду на лице собеседницы, а сама она стала относиться ко мне с прохладцей, будто я думала, что Лулу слишком хороша для ее дочери. В действительности это было поединком мировоззрений. Отклонив одно приглашение на детский праздник, я не могла поверить своим ушам, когда тут же получила еще одно. "Как насчет субботы?" —

субботу мы проводили в студии мисс Танака. "Или в пятницу через две недели?" Западные матери были не способны понять, что Лулу занята каждый день год напролет.

Есть и еще одна колоссальная разница между дрессировкой собак и китайской моделью воспитания детей. Дрессировать собак просто. Для этого требуется всего лишь терпение, любовь и, возможно, первоначальные инвестиции. Китайское воспитание детей, напротив, одна из самых сложных вещей, о которых я только могу подумать. Периодически вас будет ненавидеть тот, кого вы любите и кто, как вы надеетесь, любит вас, и нет никаких послаблений, ни единого момента, начиная с которого все становится проще. Как раз наоборот, китайское воспитание — как минимум если вы практикуете его в Америке, где все против вас, — это вечно продолжающаяся кровопролитная битва, требующая вашего круглосуточного внимания, вашей стойкости и хитрости семь дней в неделю. Вы должны уметь проглотить гордость и поменять тактику в любой момент. И вам нужно подходить ко всему творчески.

Например, в прошлом году ко мне на вечеринку по случаю окончания семестра — одно из моих любимых развлечений — пришли несколько студентов. "Ты так мила со своими учениками, — говорили мне София и Лулу. — Они и понятия не имеют, какая ты на самом деле. Все они думают, что ты *заботливая и добрая*". Вообще-то насчет этого девочки были правы. К своим студентам с юрфака (особенно к тем, у кого были строгие азиатские родители) я относилась совсем не так, как к собственным детям.

Та вечеринка проходила на третьем этаже в нашей комнате для пинг-понга, где Лулу обычно занималась музыкой. Студент по имени Ронан нашел несколько записок, которые я оставляла Лулу.

— Что за... — сказал он, читая записки с недоверием. — Профессор Чуа, *это* вы написали?

— Ронан, не мог бы ты положить записки на место, пожалуйста? И да, это я написала, — мужественно призналась я, не видя другой альтернативы. — Инструкции вроде этой я оставляю каждый день своей дочери-скрипачке, чтобы помочь в ее занятиях, когда меня нет дома.

Но Ронан, казалось, не слушал. "О боже. Да их тут много, — скептически заметил он. И был прав. Повсюду лежали десятки листочков с инструкциями — как распечатанные, так и написанные от руки, — которые я забыла убрать. — Не могу в это поверить. Это так... *странно*".

Не думаю, что это было странно. Но вы можете решить сами. Я приведу здесь три неотредактированных примера репетиционных инструкций, которые составила для Лулу. Просто пропустите дурацкие названия — я написала их, чтобы привлечь внимание дочери. Кстати, во второй записке "ш" означает "шаг", так что да, я даю пошаговые инструкции.

Чау-Чау ЛеБеф
Установка первая

Только 55 минут!!!

ПРИВЕТ, ЛУЛУ!!! Ты молодец. Легко! Легко!! ЛЕГКО!!!

Миссия “Аполлон”: держи скрипку в том положении, в котором ты можешь не поддерживать ее руками.

15 минут: ГАММЫ. Высокие легкие пальцы. ЛЕГКИЙ звенящий смычок.

15 минут: Шрадик[1]. 1. Пальцы выше и легче. 2. Расположи руку так, чтобы мизинец всегда был оттопырен и расслаблен. Сделай все целиком один раз с метрономом. Затем ВЫЗУБРИ сложные секции, 25 штук. После повтори все сначала.

15 минут: октавы Крейцера. Выбери ОДНУ новую. Сначала играй медленно — ИНТОНИРУЙ. 2 раза.

ЗАДАНИЕ ДНЯ

10 минут Крейцер #32. Сделай это САМОСТОЯТЕЛЬНО с метрономом. МЕДЛЕНННО. Легкий смычок. Если ты можешь сделать это, ты звезда.

1 *Генри Шрадик* — немецкий скрипач, написавший несколько важных инструктивных пьес для скрипки.

LOS BOBOS DI MCNAMARA — КОНЦЕРТ БРУХА

ЦЕЛИ: 1. ДЕРЖАТЬ СКРИПКУ ВЫСОКО. Особенно на аккордах. 2. артикуляция — сконцентрируйся на извлечении мелких нот чисто и ярко, легкими быстрыми пальцами (тренируйся побольше). 3. отработка переходов; динамика — начни водить смычком медленно, постепенно ускоряясь.

ВЫЗУБРИ

СТРАНИЦА 7
Первые такты: шш. 18 и 19:
а) дави смычком в полсилы и ускоряйся на аккордах. Ниже локоть. Не двигай скрипку!
б) отточи мелкие ноты (та-дам), чтобы они звучали чище, — отпускай и расслабляй пальцы быстрее.
Ш. 21: а) триоли на струне — по 25 раз каждый!
б) сделай отчетливее 8-е ноты — тренируйся! РАССЛАБЛЯЙ пальцы после каждого нажатия!
Шш. 23–6: снова дави смычком вполсилы на аккордах и бери мелкие ноты уверенными быстрыми пальцами.
Шш. 27–30: ВАЖНО: Эта строка слишком трудная, и ты роняешь скрипку! Суперлегкий аккорд.
Артикуляция почище. И еще БОЛЕЕ чистая на повторе.
Ш. 32: быстро отпускай пальцы и расслабляй их. Не останавливайся.
Ш. 33: легче, быстрее смычок!

СТРАНИЦА 8
Ш. 40: этот аккорд слишком сложный! Смычок вполсилы и высокая скрипка! Артикулируй мелкие ноты.
Ш. 44: этот аккорд должен быть легким, хотя и более насыщенным — быстрее работай смычком!!
Шш. 44–5: расслабленная рука, расслабленное запястье.
Шш. 48–49: сделай это более веселым! Пальцы быстрее и легче! Держи их наверху, но не напрягай!
Ш. 52: — артикуляция!
Шш. 54–58: ДЛИННЫЙ СМЫЧОК! Более захватывающе!
Ш. 78: выше пальцы! Не дави, пусть они будут легкими!
Ш. 82: это *crescendo*, начни медленно, затем постепенно ускоряйся! Затем успокойся — и вновь мощное *crescendo*!
СНАЧАЛА ТЕЙЛОР СВИФТ! ПОТОМ — ЛЕДИ ГАГА!! НАКОНЕЦ, БЕЙОНСЕ!!
Ш. 87: более направленно, следуй за фразой (погромче — вверх, потише — вниз)

СТРАНИЦА 9
Шш. 115–6: начинай мягко и усиливай давление смычка в высшей точке. Направление!
Ш. 131: играй тише!
Шш.136–145: по-настоящему СФОРМИРУЙ это (играй больше и усиливай смычок, когда поднимаешься, и ослабь давление, снижаясь). Отработай места, где ты фальшивишь, по 50 раз каждое.

Шш. 146–159: играй тихо, но с ХОРОШЕЙ артикуляцией.
Шш. 156–158: продолжай *crescendo*.
Ш. 160–161: артикуляция.

СТРАНИЦА 10
Ш. 180: практическое упражнение. Направление! Начни медленно, затем постепенно ускоряйся!
Ш. 181–83: вызубри чистую артикуляцию — быстрые легкие пальцы!
Ш. 185: половина скорости смычка на аккордах — легче! Чище мелкие ноты, быстрее пальцы.
Ш. 193–195: ВЫЗУБРИ переходы — точную позицию! По 50 раз.
Ш. 194: начни тихо, а затем настоящее *crescendo*!
Ш. 200: запомни правильные ноты — отработай по 30 раз.
Ш. 202: поупражняйся в аккордах — точная позиция руки — интонация!
Ш. 204: очень мягкая рука и расслабленное запястье!

КЛЕВЫЕ ШТУЧКИ — РЕКА АЛОХА-7 МЕНДЕЛЬСОН!

Вечный двигатель

Страница 2

Вступление:

* На *crescendo* поднимайся энергичнее!

* Таким же образом повтори трижды, играй каждый раз по-разному — возможно, ТИШЕ последнюю версию раз.

* В последнем шаге второй строки — ДРУГАЯ ГАРМОНИЯ. Учти это.

Строка 3: извлекай мелодичные ноты, уделяй меньше внимания повторяющимся. Затем "скатись вниз".

Строка 4: убедись, что важные ноты играешь ГОРАЗДО БОЛЕЕ ДЛИННЫМ СМЫЧКОМ.

Строка 5: выяви СТРАННЫЕ ноты.

Строка 6: как много ля! Скукотища! Приглуши их и выдели ДРУГИЕ ноты.

Строка 7: огромная, длинная двухоктавная гамма — начни ТИШЕ и дойди до колоссального *crescendo*!!

Страница 3 Строка 5: на "фа" используй практически весь смычок — сделай это волнующим! — затем пусть все постепенно стихает.

Строки 6–7: следуй указаниям — тихо, а затем внезапный ВЗРЫВ на фа!

Строка 8–9: то же самое — тихо, а затем внезапный ВЗРЫВ на фа!

Строка 10: выдели две ПЕРВЫЕ ноты, последние не так важны.

Мендельсон
Вступление:
Анданте — немного быстрее.
Сыграй его более расслабленно, тихо, будто ты находишься НАЕДИНЕ СО СПЯЩИМИ СОБАКАМИ.
Повтори то же самое дважды, затем, на третий раз, сыграй ПОЯРЧЕ — раскройся немного!
Строка 4: а сейчас немного более взволнованно, напряженно. МОЖЕТ, ОДНА ИЗ СПЯЩИХ СОБАК ПРИБОЛЕЛА?
Строка 5: ГОРАЗДО ЭНЕРГИЧНЕЕ НА ВЕРХНЕЙ ноте! Постепенно возвращайся к той же тихой, спокойной энергии, что была в начале.

СЕРЕДИНА

На 100% другое исполнение — ИСПУГАННО!
Играй очень БЫСТРЫМ СМЫЧКОМ! Больше энергии! ВЕСЬ смычок на некоторых частях.
Меняй скорость смычка!!
На последних трех строках темп постепенно нарастает. Так что вначале играй не всем смычком и каждый раз УВЕЛИЧИВАЙ его на 1,5 дюйма.
Строка 2: *forte*! Увеличь напряжение!

Страница 11, строка 1: еще интенсивнее! *Crescendo* до высшей точки!!

У меня есть сотни, может быть, тысячи таких записок. У них очень длинная история. Когда девочки были маленькими, а я бывала груба с ними, то оставляла повсюду — на их подушках, в коробках с завтраками, в их нотных тетрадях — маленькие записочки с сообщениями вроде: “У мамочки плохое настроение, но она тебя любит!”, или “Ты — мамина гордость и счастье!”

С собаками вам не нужно делать ничего подобного — они этого не поймут. Особенно Пушкин.

Мои собаки ничего не умеют — какое же это облегчение. Я от них ничего не требую и не пытаюсь планировать их будущее. По большей части я доверяю им самостоятельно сделать правильный выбор. Я всегда с нетерпением жду, когда увижу их, и я люблю наблюдать за тем, как они спят. Ну что за прекрасные отношения!

Глава 24
Бунт

Лулу в тринадцать лет

Китайский круг добродетели с Лулу не сработал. Но я никак не могла этого понять. Казалось, все шло точно по плану. Ценой невероятных усилий — хотя я не готова была ни за что платить — Лулу удавалось все, о чем я для нее мечтала. Спустя месяцы изнурительной подготовки и традиционных ссор, домашних криков и воплей Лулу прошла прослушивание и получила должность концертмейстера в престижном молодежном оркестре, несмотря на то что ей было всего двенадцать лет и она была гораздо моложе большинства музыкантов. Она получила награду штата в номинации “Вундеркинд” и попала на газетные полосы. Она приняла участие и победила в школьном конкурсе декламации на латыни и французском. Но вместо того, чтобы ощутить уверенность в себе, благодарность родителям и желание работать еще больше, она сделала прямо противоположное. Лулу начала бунтовать: не только против репетиций, но и вообще против всего того, что я ей навязывала.

Оглядываясь назад, я думаю, что все начало меняться, когда Лулу была в шестом классе, я просто не осознала этого. Среди того, что Лулу ненавидела больше всего на свете, было мое настойчивое желание забирать ее из школы на дополнительные уроки скрипки. Я считала, что в школе Лулу зря тратит кучу времени, поэтому несколько раз в неделю я писала записки ее учителю, объясняя, что скоро будет концерт или прослушивание, и просила разрешения забрать дочь из школы на время обеда или занятий физкультурой. Иногда мне удавалось сколотить целый двухчасовой блок, объединив время обеда, две перемены и, кхм, урока музыки, где они звонили в колокольчики, или урока рисования, во время которого они украшали киоски для ярмарки в честь Хеллоуина. Было видно, что Лулу с ужасом переживала каждое мое появление в школе, а ее одноклассники всегда странно на меня смотрели, но в то время ей было всего одиннадцать лет, и я все еще могла навязать ей свою волю. И я уверена, что музыкальные награды Лулу заработала благодаря тем дополнительным занятиям скрипкой.

Мне все это тоже давалось нелегко. Во время занятий со студентами я внезапно извинялась, говоря, что мне надо на встречу, и неслась за Лулу в школу, отвозила ее к Кивон, а затем летела обратно к себе в кабинет, перед которым уже выстраивалась очередь ожидающих меня студентов. Полчаса спустя я снова извинялась, отвозила Лулу обратно в школу, а затем возвращалась к работе еще на три часа. Я оплачивала услуги Кивон, вместо того чтобы заниматься с Лулу самой, поскольку не думала, что она будет сопротивляться своей учительнице и, конечно, ссориться с ней. В конце концов, Кивон не была членом нашей семьи.

Как-то вечером, всего через пятнадцать минут после того, как я закинула Лулу на занятия, Кивон мне позвонила. Она была взволнована и расстроена. "Лулу не хочет играть, — сказала она. — Кажется, будет лучше, если вы ее заберете". Приехав, я страшно извинялась перед Кивон, бормоча про то, что Лулу устала, поскольку не выспалась. Но выяснилось, что Лулу не просто отказалась играть. Она была груба с Кивон, хамила ей и игнорировала ее советы. Я была унижена и дома наказала Лулу.

Но со временем становилось только хуже. Когда бы я ни приезжала за Лулу в школу, ее лицо мрачнело. Она поворачивалась ко мне спиной и говорила, что не хочет уезжать. Когда мы наконец приезжали к Кивон, Лулу иногда отказывалась выходить из машины. Если мне каким-либо образом удавалось ее затолкать в квартиру Кивон — это могло быть за двадцать минут до конца занятия, — Лулу периодически отказывалась играть или намеренно играла плохо, фальшиво и без души. Она также сознательно провоцировала Кивон, постепенно приводя ее в бешенство, а затем с издевкой спрашивала: "Что случилось? Вы в порядке?"

Однажды, кстати, Кивон проговорилась, что ее бойфренд Эрон, понаблюдав за уроком, сказал: "Если бы у меня была дочь, я бы никогда не позволил ей так вести себя, быть столь неуважитсльной".

Это была пощечина. Эрон, который всегда обожал Лулу, был чрезвычайно добродушным. Он вырос в одной из самых либеральных и мягких западных семей, где детей никогда не наказывали за школьные прогулы и исполняли практически все их желания. И все же он критиковал результат моего воспитания, поведение моей дочери, и был прав.

Примерно в то же время Лулу начала мне хамить и откровенно меня не слушаться на глазах у моих родителей. В глазах западников в этом нет ничего особенного, но в нашей семье подобное равнозначно осквернению храма. По сути, это настолько выходило за рамки, что никто не знал, как поступить. Мой отец отвел меня в сторонку и конфиденциально попросил меня отказаться от скрипки. Моя мама, которая была близка с Лулу (они много переписывались), заявила напрямик: "Тебе нужно перестать быть такой упрямой, Эми. Ты слишком строга с Лулу, просто до крайности. Ты пожалеешь об этом".

— Почему ты на меня нападаешь? — парировала я. — Ты меня воспитывала именно так.

— Ты не можешь поступать так же, как твой отец и я, — ответила она. — Сейчас все по-другому. Лулу не ты, и она не София. Она совсем другая, и ты не можешь на нее давить.

— Я придерживаюсь китайского пути, — сказала я. — Он работает лучше. И мне наплевать, что никто меня не поддерживает. Вам промыли мозги ваши западные друзья.

Моя мать лишь покачала головой: "Говорю тебе, я переживаю за Лулу. С ней творится что-то не то". Это ранило меня больше, чем что-либо другое.

Вместо круга добродетели мы получили порочную спираль, по которой неслись вниз. Лулу исполнилось тринадцать лет, и она становилась все более отстраненной и обидчивой. Ее лицо постоянно сохраняло безучастное выражение, а единственным, что она говорила, было "нет" и "наплевать". Она отказывалась от моих представлений о ценностях. "Почему я не могу тусоваться с друзьями, как другие дети? — вопрошала она. — Что ты имеешь против торговых центров? Почему я не могу пойти в гости с ночевкой? Почему каждую секунду моего дня должна заполнять работа?"

— Ты концертмейстер, Лулу, — отвечала я. — Тебе оказали большую честь, и ты несешь колоссальную ответственность. На тебя рассчитывает весь оркестр.

— Что я делаю в этой семье? — отреагировала Лулу.

Самое странное заключалось в том, что Лулу любила оркестр. У нее там было много друзей, ей нравилось ощущать себя лидером, между ней и дирижером мистером Бруксом установились потрясающие отношения. Я видела, как задорно она шутит и смеется на репетициях — возможно, потому что я в них не вмешивалась.

Тем временем множились разногласия между мной и Джедом. Когда мы бывали наедине, он со злостью советовал мне быть сдержанней и прекратить чрезмерно обобщать "западников" и "китайцев". "Я знаю, ты думаешь, что оказываешь людям большую услугу, критикуя их, чтобы они могли стать лучше, — говорил он язвительно. — Но думала ли ты когда-нибудь о том, что просто портишь им настроение?" Больше всего критики доставалось мне по другому поводу: "Почему ты так нахваливаешь Софию на глазах у Лулу? Думаешь, Лулу хорошо себя после этого чувствует? Ты что, не видишь, что происходит?"

— Я не перестану хвалить Софию, когда она того заслуживает, только чтобы защитить чувства Лулу, — отвечала я, вкладывая в три последних слова как можно больше сарказма. — Кроме того, думаю, Лулу знает, что она так же хороша, как и София. Ее не нужно подбадривать.

Но, отвлекаясь от наших случайных раздоров, Джед всегда принимал мою сторону перед девочками. С самого начала мы придерживались стратегии общего фронта, и, несмотря на свои опасения, Джед не отошел от нее ни на шаг. Вместо этого он делал все, чтобы сохранить мир в семье, планируя для нас семейные поездки на велосипедах, обучая девочек играть в бильярд и покер, читая им Шекспира, Диккенса и научную фантастику.

А затем Лулу сделала нечто невообразимое — вынесла свой мятеж на публику. Ей было хорошо известно, что китайское воспитание на Западе, по сути, тайная практика. Если кто-то узнает о том, что вы заставляете детей что-либо делать против их воли, или хотите, чтобы они были лучше других детей, или, прости господи, запретите походы в гости с ночевкой, другие родители предадут вас анафеме, а расплачиваться придется вашим детям. В результате родители-эмигранты учатся скрытничать. Они стараются быть веселыми на публике, поглаживать детей по спине и говорить что-то вроде: "Хорошая попытка, приятель!" или "Вперед, команда!" Никому не хочется быть парией.

Потому-то маневр Лулу был таким умным. Она громко спорила со мной на улице, в ресторане или магазинах, так что прохожие оборачивались и пялились на нас, когда она кричала: "Оставь меня в покое! Я не люблю тебя! Уходи!" Когда друзья приходили к нам на ужин и спрашивали ее, как продвигаются занятия скрипкой, она говорила: "О, я занимаюсь каждый день. Мама меня заставляет. И другого выбора у меня нет". Однажды на парковке она, будучи в ярости из-за чего-то, что я сказала, орала и отказывалась выходить из машины, и это привлекло внимание полицейского, который подошел выяснить, "в чем проблема".

Как ни странно, школа оставалась нетронутым бастионом — хоть что-то Лулу все-таки сохранила за мной. Когда бунтуют дети западников, обычно страдают их оценки, а иногда их даже исключают за неуспеваемость. Напротив, Лулу, бунтующая китаянка-полукровка, оставалась круглой отличницей и любимицей учителей, которые постоянно описывали ее в своих отчетах как щедрую, добрую и отзывчивую девочку. “Лулу — это счастье, — написал один из учителей. — Она умеет сочувствовать и сострадать, одноклассники ее обожают”.

Но Лулу видела все по-другому. “У меня нет друзей. Я никому не нравлюсь”, — объявила она однажды.

— Лулу, о чем ты говоришь? — забеспокоилась я. — Ты всем нравишься. Ты такая хорошенькая и веселая.

— Я урод, — отрезала Лулу. — И ты ничего не знаешь обо мне. Где я возьму друзей? Ты ничего мне не разрешаешь. Я не могу никуда ходить. Это все твоя вина. Ты ненормальная.

Лулу отказывалась гулять с собаками. Она отказывалась выносить мусор. Это было несправедливо по отношению к Софии, делавшей всю работу по дому. Но как можно физически заставить человека ростом в полтора метра делать что-то, чего он делать не хочет? Такая проблема не могла появиться в китайском доме в принципе, и я не знала, как быть. Так что я делала единственное, что умела, — вышибала клин клином. Я не уступала ни на йоту. Я говорила, что она как дочь позорит меня, на что Лулу отвечала: “Я знаю, знаю. Ты уже говорила”. Я твердила, что она слишком много ест. (“Прекрати. Ты больная”.) Я сравнивала ее с Эми Сианг, Эми Ванг, Эми Лиу и Гарвардом Вонгом — азиатскими детьми в первом поколении, ни один из которых никогда не хамил родителям. Я интересовалась, что я сделала не так. Может, я была недостаточно строгой? Или слишком много ей позволяла? Закрывала глаза на то, что другие дети на нее дурно влияют? («Даже не смей оскорблять моих друзей».) Я говорила, что подумываю об удочерении третьей девочки из Китая, которая будет заниматься тогда, когда я скажу, и, возможно, даже станет играть на виолончели в дополнение к фортепиано и скрипке.

— Когда тебе будет восемнадцать, — бросала я вслед убегающей от меня по лестнице Лулу, — я разрешу тебе сделать все те ошибки, которые ты так хочешь совершить. Но до тех пор я от тебя не отстану!

— А я *хочу*, чтоб ты от меня отстала! — кричала мне Лулу снова и снова.

Когда дело касалось упрямства, Лулу мне было не переиграть. Но у меня все еще сохранялось одно преимущество: я была матерью. Я отвечала за ключи от машины, счет в банке и право не подписывать всевозможные разрешения. И все это в рамках закона США.

— Мне надо подстричься, — как-то сказала Лулу.

— После того как ты разговаривала со мной так грубо и отказалась сыграть Мендельсона более мелодично, ты ждешь, что я сяду в машину и отвезу тебя туда, куда ты хочешь? — ответила я.

— Почему я должна все время торговаться? — с горечью спросила Лулу.

Тем вечером у нас была очередная крупная ссора, и Лулу заперлась в своей комнате. Она отказывалась выходить и не отвечала, когда я пыталась поговорить с ней через дверь. Много позже, сидя в своем кабинете, я услышала щелчок открывающейся двери. Я пошла к ней и увидела Лулу, спокойно сидящую на кровати.

— Думаю, я посплю, — сказала она нормальным голосом. — Я сделала все уроки.

Но я не слушала. Я смотрела на нее.

Лулу взяла ножницы и сама обрезала себе волосы. С одной стороны головы они неравномерно свисали до подбородка. С другой их обрубили над ухом уродливой, рваной линией.

Мое сердце замерло. Я было почти взорвалась, но что-то — думаю, это был страх — заставило меня прикусить язык.

Прошла минута.

— Лулу… — начала я.

— Мне нравятся короткие стрижки, — перебила она меня.

Я отвела взгляд. Я не могла смотреть на нее. У Лулу были волосы, которым все завидовали, волнистые, темно-каштановые — особенность китайско-еврейской крови. Одна часть меня хотела истерично наорать на Лулу и швырнуть в нее чем-нибудь. Другая часть хотела обнять ее и разрыдаться.

Вместо этого я спокойно сказала: “Утром я первым делом запишу тебя к парикмахеру. Мы найдем кого-нибудь, кто это исправит”.

— О’кей, — пожала плечами Лулу.

Позже Джед сказал мне: “Что-то должно измениться, Эми. У нас серьезная проблема”.

Мне захотелось разрыдаться — второй раз за вечер. Но вместо этого я закатила глаза: “Ничего страшного, Джед. Не создавай проблему на ровном месте. Я могу с этим справиться”.

Глава 25
Темнота

Мы с моей младшей сестрой Кэтрин.
Начало 1980-х

В детстве я очень любила играть с моей сестрой Кэтрин. Возможно, из-за того что она была на семь лет младше, между нами не возникало соперничества или конфликтов. Также она была до смешного милой. С ее блестящими черными глазами, волосами, стриженными шапочкой, и розовыми губами она привлекала всеобщее внимание и однажды выиграла фотоконкурс *JC*

Penney[1], в котором даже не участвовала. Поскольку мама часто была занята нашей младшей сестрой Синди, мы с моей средней сестрой Мишель по очереди возились с Кэтрин.

Я сохранила очень приятные воспоминания о тех днях. Я была властной и уверенной в себе, а Кэтрин боготворила свою старшую сестру, так что мы прекрасно ладили. Я придумывала игры и сказки, учила ее играть в камешки, китайские классики и прыгать через двойную скакалку. Мы играли в ресторан: я была шефом, а она официантом и посетителем. Мы играли в школу: я была учителем, а она наряду с пятью плюшевыми зверюшками ученицей (Кэтрин блистала на моих уроках). Я участвовала в благотворительных акциях *McDonald's*, чтобы заработать денег на исследования мышечной дистрофии, Кэтрин работала в киоске и собирала деньги.

Тридцать пять лет спустя мы с сестрой по-прежнему близки. Из всех четырех сестер мы больше всего похожи друг на друга, во всяком случае, внешне. Мы обе получили по две гарвардских степени, обе вышли замуж за евреев, обе стали преподавателями, как наш отец, у обеих по двое детей.

За несколько месяцев до того, как Лулу обкорнала волосы, мне позвонила Кэтрин, преподававшая и руководившая лабораторией в Стэнфорде. Это был худший телефонный звонок в моей жизни.

1 Сеть магазинов одежды.

Рыдая, она сказала, что ей диагностировали редкую, почти наверняка смертельную форму лейкемии.

“Это невозможно”, — подумала я в замешательстве. Лейкемия нападает на мою семью, мою удачливую семью, уже второй раз?

Но это было правдой. Кэтрин сильно похудела; тошнота и одышка мучили ее уже несколько месяцев. Когда она наконец показалась врачу, анализы крови были красноречивыми. По ужасному совпадению, лейкемию вызвал тот вид клеточной мутации, который Кэтрин изучала в лаборатории.

— Наверное, я долго не проживу, — расплакалась она. — Что будет с Джейком? А Элла даже не успеет узнать меня по-настоящему.

Сыну Кэтрин было десять лет, а дочке едва исполнился год. “Ты должна сделать так, чтобы она узнала, кто я. Ты должна пообещать мне, Эми. Я лучше соберу несколько фотографий…” — и она замолчала.

Я была в шоке. Просто не могла в это поверить. Образ десятилетней Кэтрин вспыхнул в моей памяти, и его невозможно было связать со словом “лейкемия”. Как это могло случиться с Кэтрин? Кэтрин! А мои родители? Да это же убьет их.

— Что именно сказал доктор, Кэтрин? — услышала я свой до странности уверенный голос. Я включила режим старшей сестры, на все способной и неуязвимой.

Но Кэтрин не ответила. Он сказала, что перезвонит мне.

Десять минут спустя я получила от нее письмо. В нем говорилось: “Эми, все очень, очень плохо. Прости! Мне нужна химиотерапия, а затем, если получится, пересадка костного мозга. Потом снова химия. И очень мало шансов выжить”.

Будучи ученым, она, конечно, была права.

Глава 26
Бунт.
Часть вторая

Я отвезла Лулу в парикмахерскую на следующий день после того, как она “подстриглась”. В машине мы почти не разговаривали. Я была напряжена, а в моей голове бурлили мысли.

— Что случилось? — спросила парикмахерша.

— Она их отстригла, — объяснила я. Скрывать было нечего. — Можете ли вы как-то улучшить форму стрижки, пока волосы отрастают?

— Боже, да ты над собой поработала, милая, — сказала женщина, с любопытством глядя на Лулу. — Что заставило тебя сделать это?

“О, это был подростковый акт самоуничтожения, направленный в первую очередь на мою мать”, — я подумала, что Лулу скажет именно так. У нее, конечно, хватило бы и словарного запаса, и дерзости, чтобы сделать это. Но вместо этого Лулу кротко ответила: “Я пыталась подстричь их каскадом. Но только все испортила”.

Позже, уже дома, я сказала: “Лулу, ты же знаешь, мамочка тебя любит, и все, что я делаю, я делаю для тебя, для твоего будущего”.

Мой собственный голос звучал фальшиво даже для меня, и Лулу, должно быть, тоже так подумала, потому что ответила: “Отлично”, — равнодушно и безо всяких эмоций.

Приближался пятидесятый день рождения Джеда. Я организовала вечеринку-сюрприз, пригласив всех его друзей. Каждого я попросила приготовить забавную историю про Джеда. А за несколько недель до события я сказала, чтобы София и Лулу написали по собственному тосту.

— Но не наспех, — приказала я. — В тосте должен быть смысл и как можно меньше штампов.

София сразу же занялась этим. Как обычно, она не консультировалась со мной и не просила совета ни по единому слову. Лулу же, наоборот, сказала: “Я не хочу произносить тост”.

— Ты *должна*, — ответила я.

— Никто из моих сверстников не произносит тостов, — заявила Лулу.

— Это потому, что все они из неблагополучных семей, — возразила я.

— Ты знаешь, как безумно это звучит? — спросила Лулу. — Они не из “неблагополучных” семей. Что это вообще значит?

— Лулу, ты такая неблагодарная. Когда я была в твоем возрасте, я все время что-то делала. Я построила дом на дереве для своих сестер, потому что об этом попросил мой отец. Я внимала каждому его слову, так что умею управляться с бензопилой. Я также построила домик для колибри. Я работала курьером в *El Cerrito Journal* и должна была тащить на голове огромный двадцатикилограммовый мешок с документами целых пять миль. И посмотри на себя — тебе предоставили все возможности, все привилегии. Тебе не пришлось носить фальшивый *Adidas* с четырьмя полосками вместо трех. А ты даже не можешь сделать своему отцу маленькое одолжение.

— Я не хочу произносить тост, — повторила Лулу.

В бой пошла крупная артиллерия. Я грозила Лулу всем, что только могла придумать. Я подкупала ее. Пыталась вдохновить. Пыталась застыдить. Предлагала помощь в написании тоста. Я повысила ставки и выдвинула ультиматум, зная, что это ключевая битва.

Во время вечеринки София выступила с минишедевром. В шестнадцать лет — метр семьдесят на каблуках — она была потрясающей девушкой с лукавым остроумием. В своем тосте она прекрасно описала отца, мягко подколов его, но в конечном итоге расхвалив. Позже ко мне подошла моя подруга Алексис: "София просто невероятна". Я кивнула: "Она произнесла отличный тост".

— Совершенно верно, но это не совсем то, что я имела в виду, — сказала Алексис. — Не знаю, понимают ли люди Софию на самом деле. Она полностью сама по себе. И все же ей неизменно удается заставить вашу семью гордиться ею. А вот Лулу просто очаровательна.

Я вовсе не находила Лулу очаровательной. Во время тоста Софии она стояла рядом с сестрой, приветливо улыбаясь. Но она ничего не написала и отказалась произнести хоть слово.

Я впервые проиграла. До сих пор, со всеми этим потрясениями и войнами в нашем доме, я никогда не проигрывала. Как минимум не в чем-то важном.

Этот акт неповиновения и неуважения разозлил меня. Какое-то время моя злость медленно кипела, но потом я излила весь свой гнев. “Ты опозорила и семью, и себя, — сказала я Лулу. — Ты будешь жить с этой ошибкой до конца своих дней”.

Лулу огрызнулась: “Это все твои понты. Ты вся состоишь из них. У тебя уже есть одна дочь, которая делает все, что ты хочешь. Зачем тебе нужна еще и я?”

Между нами выросла стена. Мы и раньше всегда бурно ссорились, но неизменно мирились. В конце концов мы падали в ее или мою кровать, обнимались и, хихикая, пародировали свою ссору. Я говорила совершенно немыслимые для родителя вещи вроде: “Я скоро умру” или “Я не верю в то, что ты меня любишь, и это так больно”. Лулу отвечала: “Мамочка, ты такая странная!” — но всегда улыбалась. Теперь же она перестала по вечерам заходить ко мне. Свою злость она срывала не только на мне, но и на Джеде с Софией и проводила все больше времени, запершись в своей комнате.

Не подумайте, что я не пыталась вернуть Лулу. Когда я не злилась и не ссорилась с ней, я делала все, что только можно. Однажды я сказала: “Эй, Лулу! Давай изменим нашу жизнь и сделаем кое-что необычное и забавное — проведем гаражную распродажу”. Мы сделали это (чистая прибыль составила 241,35 доллара), было весело, но наша жизнь не изменилась. В другой раз я предложила Лулу урок игры на электрической скрипке. Она попробовала, и ей понравилось, но когда я попыталась записаться на второй урок, Лулу сказала, что это глупо и пора прекратить. Вскоре мы снова были опутаны взаимной враждой.

С другой стороны, для людей, которые сидят друг у друга в печенках, мы с Лулу проводили вместе слишком много времени, хотя я бы не назвала это время продуктивным. Таким было наше обычное расписание на выходные:

Суббота: 1 час езды (в восемь утра) в Норфолк.
3 часа репетиций с оркестром
1 час езды в Нью-Хейвен
Домашняя работа
1–2 часа занятий скрипкой
1 час веселого семейного времяпрепровождения (по желанию)

Воскресенье: 1–2 часа занятий скрипкой
2 часа езды в Нью-Йорк
1 час занятий с мисс Танака
2 часа езды в Нью-Хейвен
Домашняя работа

Вспоминая об этом, я понимаю — то были довольно несчастливые времена. Но другая сторона медали делала это время стоящим трудностей. Дело в том, что Лулу ненавидела скрипку, за исключением тех случаев, когда любила ее. Однажды она сказала мне: “Когда я играю Баха, я словно путешествую во времени, будто оказываюсь в восемнадцатом веке”. Она добавила, что ей нравится, как музыка передает дух эпохи.

Я помню, как на одном из выступлений в школе мисс Танака Лулу заворожила публику скрипичным концертом Мендельсона. Потом мисс Танака сказала мне: “Лулу отличается от остальных. Она действительно чувствует музыку и понимает ее. Мне кажется, она любит скрипку”.

Часть меня думала, что мисс Танака вешает мне лапшу на уши. Но другая часть преисполнилась вдохновения и решимости.

Подходило время бат-мицвы Лулу. Хотя я не еврейка и бат-мицва — это территория Джеда, мы с Лулу и здесь устроили битву. Я хотела, чтобы во время вечеринки она сыграла на скрипке “Еврейскую мелодию” Йозефа Ахрона — красивую молитвенную вещь, о которой нам рассказала старинная подружка Лулу Лекси. Джед одобрил, Лулу нет.

— Играть на скрипке? На моей бат-мицве? Это же смешно! Не буду. Это вообще неуместно, — заявила Лулу со злостью. — Ты хоть знаешь, что такое бат-мицва? Это же не концерт, — а затем она добавила: — Я просто хочу большую вечеринку и много подарков.

Это было сказано, чтобы спровоцировать и взбесить меня. Лулу слышала, как я годами придиралась к испорченным богатеньким деткам, чьи родители тратили миллионы на бат-мицвы, первые балы или празднования шестнадцатилетия. Правда в том, что Лулу строго идентифицирует себя как иудейку. В отличие от Софии (или, если уж на то пошло, Джеда) Лулу всегда настаивала на соблюдении правил Песаха и постилась в Йом-Кипур. Бат-мицва для нее — даже больше, чем для Софии, — была важнейшим событием в жизни, и она со страстью погрузилась в изучение Торы и Гафтары[1].

Я не проглотила наживку. "Если ты не хочешь играть на скрипке, — сказала я спокойно, — мы с папой отменим вечеринку. Мы просто проведем скромную церемонию — в конце концов, это важный ритуал".

— Ты не имеешь права! — злобно отреагировала Лулу. — Это так несправедливо! Ты не заставляла Софию играть на пианино в ее бат-мицву.

— Тебе будет полезно сделать что-то, чего не делала София, — сказала я.

— Ты даже не еврейка, — парировала Лулу. — Ты не знаешь, о чем говоришь. К тебе это не имеет никакого отношения.

За шесть недель до бат-мицвы я разослала приглашения от имени Лулу. Но я предупредила ее: "Если ты не будешь играть "Еврейскую мелодию", я отменю вечеринку".

1 Название отрывка из книг Пророков, которым завершается чтение главы Торы по субботам, в праздники и посты.

— Ты этого не сделаешь, — сказала Лулу презрительно.

— Почему бы тебе не проверить это, Лулу? — поддначила я ее. — Попробуй выяснить, сделаю я или нет.

Я честно не знала, кто победит на этот раз. И это был очень рискованный маневр, потому что стратегии отступления на случай проигрыша у меня не было.

Глава 27
Кэтрин

Новость о том, что у Кэтрин рак, стала ударом для моих родителей. Двое самых сильных людей из всех, кого я знаю, были убиты горем. Моя мать все время плакала, не выходила из дома и не отвечала на звонки друзей. Она даже не разговаривала по телефону с Софией и Лулу. Мой отец продолжал мне звонить и измученным голосом снова и снова спрашивал, есть ли хоть какая-то надежда.

Кэтрин решила пройти лечение в *Dana-Farber/Harvard Cancer Center* в Бостоне. Мы выяснили, что это была одна из лучших больниц по пересадке костного мозга в стране. Также Гарвард был тем местом, где Кэтрин и ее муж Ор учились и занимались, и там еще жили их знакомые.

Все произошло очень быстро. Всего через три дня после постановки диагноза Кэтрин и Ор заперли свой дом в Стэнфорде и всей семьей переехали в Бостон (Кэтрин отказывалась даже думать о том, чтобы ее дети остались в Калифорнии со своими дедушкой и бабушкой). С помощью наших друзей Гордона и Алексис мы арендовали в Бостоне дом, нашли школу для Джейка и няню для Эллы.

Лейкемия была такой агрессивной, что доктора в *Dana-Farber* советовали Кэтрин соглашаться на пересадку костного мозга. Другого шанса выжить у нее не было. Но, чтобы пересадка стала возможной, Кэтрин пришлось преодолеть два серьезных препятствия. Во-первых, пройти через интенсивную химиотерапию и молиться, чтобы ее лейкемия закончилась ремиссией. Во-вторых, если бы это произошло, ей должно было повезти в поисках подходящего донора. В каждом из этих испытаний шансы на успех были невелики. Скорее, наоборот, ужасающе малы. И даже если бы все получилось, вероятность того, что костный мозг не будет отторгнут организмом, была еще меньше.

Прежде чем лечь в больницу, Кэтрин провела два дня в Бостоне. Я была с ней, когда она попрощалась со своими детьми. Она настояла на стирке — две загрузки — и приготовила одежду для Джейка на завтра. Не веря своим глазам, я наблюдала, как аккуратно Кэтрин складывает рубашки сына и разглаживает ползунки и слюнявчики дочери. “Я люблю стирать”, — сказала она мне. Прежде чем выйти из дома, она отдала мне на хранение все свои драгоценности. “На случай если я не вернусь”, — сказала она.

Мы с Ором отвезли Кэтрин в больницу. Пока заполняли бумаги, она продолжала шутить: “Принеси мне хороший парик, Эми. Я всегда хотела красивую стрижку", — и извиняться за то, что отняла у меня так много времени. Когда мы наконец вошли в ее палату — по другую сторону занавески лежала с виду умирающая пожилая женщина, которая, очевидно, проходила химиотерапию, — первое, что сделала Кэтрин, это расставила повсюду фотографии членов семьи. Там были Элла крупным планом, трехлетний Джек и общее фото — вчетвером на теннисном корте. Хотя она то и дело отвлекалась, Кэтрин казалась спокойной и собранной.

Я же, напротив, когда зашли двое интернов — один азиат, а второй нигериец, — преисполнилась негодования и ярости. Все выглядело так, будто они играют в докторов. Интерны не ответили ни на один из наших вопросов, они дважды назвали не тот тип лейкемии, а закончилось все тем, что Кэтрин объясняла им протокол, которому им нужно следовать тем вечером. Я могла думать только одно: интерны? Жизнь моей сестры в руках двух студентов медшколы?

Но сама Кэтрин реагировала совсем по-другому. "Не могу поверить, что, когда я последний раз была в этом здании, я была их ровесницей, — сказала она с легкой грустью в голосе, когда студенты вышли. — Мы с Ором тогда только познакомились".

Первые несколько недель химии прошли гладко. Как мы поняли по случаю с Флоренс, эффект от терапии был накопительным, и первые несколько дней Кэтрин говорила, что чувствует себя замечательно — даже более энергичной, чем ощущала в последние месяцы, поскольку ей регулярно делали переливания крови, чтобы противостоять ее анемии. Она писала научные статьи (одна из них была опубликована в *Cell*, когда Кэтрин лежала в больнице), удаленно управляла лабораторией в Стэнфорде, покупала книги, игрушки и зимнюю одежду для Джейка и Эллы.

Даже начав ощущать эффект от химии, Кэтрин не жаловалась ни на катетер, торчащий из ее груди и поставлявший химические вещества прямо в ее вены ("Не так уж и плохо, хотя я все еще не могу на это смотреть"), ни на лихорадочную дрожь, которая внезапно ее охватывала, ни на сотни уколов и таблеток, которые ей пришлось вытерпеть. Все это время Кэтрин посылала мне забавные письма, над которыми я периодически смеялась вслух. "Ура! — написала она однажды. — Меня начинает ТОШНИТЬ. Химия работает… все согласно плану". В другой раз: "Не могу дождаться утреннего визита лаборанта. Вот до чего я дошла". Лаборант брал у Кэтрин кровь на анализ и рассказывал ей о ее показателях. И: "Снова могу пить жидкости. Собираюсь попробовать куриный бульон. Вкуснятина!"

Я пришла к выводу, что, если я не получала никаких вестей от Кэтрин, если она не отвечала на мои звонки и письма, значит, она либо тяжело болела, покрытая сыпью (аллергическая реакция на переливание тромбоцитов, что случалось регулярно), либо была оглушена обезболивающими, притуплявшими новую ужасную боль. Однако новости она неизменно сообщала с легким сердцем. На мое ежедневное "как прошла ночь?" она отвечала: "Ты не хочешь знать", "Не так плохо, но и не совсем хорошо" или "Увы, снова температура".

Я также поняла кое-что еще: ради своих детей Кэтрин была полна решимости жить. Повзрослев, она стала самой целеустремленной из нас, самой сосредоточенной. Теперь же каждая частица ее разума была направлена на борьбу с лейкемией. Выченная на врача, она полностью контролировала свою болезнь, дважды перепроверяя дозировку, читая цитогенетические отчеты, изучая в интернете результаты клинических испытаний. Она любила своих врачей — ей хватало медицинских знаний, чтобы ценить их опыт, проницательность и трезвость суждений, — а они любили ее. Так же как сестры и молодые интерны. Однажды студент-медик на ротации узнал ее — доктор Кэтрин Чуа из Стэнфорда, автор двух научных работ, опубликованных в престижном журнале *Nature*, — и с трепетом попросил ее профессионального совета. Между тем, чтобы оставаться в форме, Кэтрин ежедневно заставляла себя гулять по двадцать минут и бродила по четвертому отделению, к которому была приписана.

Зимой и осенью 2008 года я часто гостила в Бостоне. Вся моя семья бывала там каждые выходные, иногда мы ехали в Бостон сразу же после нашей с Лулу четырехчасовой поездки к мисс Танака. Кэтрин вообще не скучала по посетителям — после того как химия уничтожила ее иммунную систему, они почти перестали приходить, — но она скучала по Джейку и Элле и была счастлива, когда мы проводили время с ними. София обожала свою маленькую кузину Эллу, а Лулу и Джейк были лучшими друзьями. Они казались совершенно одинаковыми, были настолько похожими, что люди часто думали, что они родные брат и сестра.

Конечно, мы все молились об одном: увидеть, что Кэтрин достигла ремиссии. На двадцатый день ей должны были сделать важную биопсию. Прошла неделя, прежде чем мы получили результаты. Они были неважными, совсем неважными. Кэтрин лишилась волос, ее кожа шелушилась, у нее были все мыслимые гастроэнтерологические осложнения, но вот ремиссия не наступила. Ее врач сказал, что ей нужно пройти через еще одну химию. “Это не конец света”, — сказал он, пытаясь быть оптимистом. Но мы провели собственное исследование и знали, что, если и следующая химия не сработает, шансы Кэтрин на удачную трансплантацию будут равны нулю. Это была ее последняя возможность.

Глава 28
Мешок риса

София, 16 лет

Однажды вечером я пришла с работы домой и увидела, что пол в кухне устлан ковром из риса. Я устала и была напряжена. Я читала лекции, затем четыре часа общалась со студентами и раздумывала, не поехать ли после ужина в Бостон. Большой холщовый мешок был разорван в клочья, повсюду валялись тряпки и полиэтиленовые пакеты, а Коко и Пушкин громко лаяли снаружи. Я точно знала, что произошло.

В этот момент в кухню с веником зашла София, вид у нее был виноватый.

Я взорвалась: "София, ты снова это сделала! Ты оставила дверь кладовой открытой, правда? Сколько раз тебе нужно повторять, что собаки разорвут мешок? Исчезли двадцать килограммов риса, и я собираюсь убить наших собак. Ты *вообще* меня *не слушаешь*. Ты вечно говоришь: "О, прости, я больше так не буду, я ужасна, убей меня", — но ничего *не меняется*. Единственное, о чем ты беспокоишься, — это как бы избежать проблем. Ты, кроме себя, больше ни о ком другом не думаешь. Меня тошнит от того, что ты не слушаешь, тошнит!"

Джед вечно обвинял меня в склонности к преувеличениям, к деланию из мухи слона. Но стратегия Софии всегда заключалась в том, чтобы проглотить это и ждать, когда буря стихнет.

На сей раз София взорвалась в ответ. "Мама! Я уберу это все, ладно? Ты ведешь себя так, будто я ограбила банк. Ты знаешь, что я хорошая дочь? У всех, с кем я знакома, постоянные вечеринки, они пьют и принимают наркотики. А знаешь, что делаю я? Каждый день бегу из школы прямиком домой. *Бегу.* Понимаешь, как дико это выглядит? Однажды я подумала: "Зачем я это делаю? Почему я бегу домой?" Чтобы больше поиграть на пианино! Ты вечно талдычишь о благодарности, но ты должна сказать спасибо *мне*. Не срывай на мне свое раздражение только потому, что ты потеряла контроль над Лулу".

София была совершенно права. Я гордилась ею, и моя жизнь с ней все шестнадцать лет была беззаботной. Но иногда, когда я знаю, что не права, и не люблю себя за это еще больше, что-то внутри меня каменеет и толкает еще дальше. Поэтому я сказала: “Я никогда не просила тебя бежать домой, это глупо. Ты, наверное, смешно выглядишь. А если ты хочешь принимать наркотики — давай. Возможно, в реабилитационном центре ты познакомишься с отличным парнем”.

“Распределение обязанностей в этом доме — вот что смешно, — запротестовала София. — Я делаю всю работу, выполняю все, о чем ты просишь, но стоит мне совершить одну ошибку, как ты уже орешь. Лулу не делает ничего из того, что ты говоришь. Она хамит тебе и кидается вещами, а ты задабриваешь ее подарками. И что же ты за китайская мать?”

София по-настоящему уела меня. Это был подходящий момент, чтобы поднять вопрос о китайском воспитании и очередности рождения. Или только об очередности рождения. Моя студентка по имени Стефани, старшая дочь корейских эмигрантов, недавно рассказала забавную историю. Когда она была в старших классах (круглая отличница, математический гений, концертирующая пианистка), ее мать постоянно угрожала ей: “Если ты не сделаешь то-то, я не отвезу тебя в школу”. И эта перспектива вселяла ужас в сердце Стефани — пропустить школу! Так что она делала все, о чем просила ее мать, отчаянно надеясь, что еще не очень поздно. Но, когда ее мать тем же угрожала младшей сестре Стефани, та отвечала: "Отлично! Мне нравится сидеть дома. Я ненавижу школу".

Конечно, есть множество исключений, но эта модель — образцовый старший ребенок и бунтующий младший — характерна для многих семей, особенно эмигрантских. Я просто думала, что смогу избежать такого в случае с Лулу благодаря силе воли и трудолюбию.

— Ты права, София, у меня проблемы с Лулу, — согласилась я. — То, что получилось с тобой, не получилось с ней, и это кошмар.

— Ой, не переживай, ма! — голос Софии внезапно подобрел. — Это просто такой период. Тринадцатилетней быть ужасно — я была несчастной в этом возрасте. Но все изменилось к лучшему.

Я и понятия не имела, что София страдала, когда ей было тринадцать. Как и в большинстве семей эмигрантов из Азии, в нашей не были приняты разговоры "по душам". Моя мать никогда не разговаривала со мной о взрослении и тем более о половом созревании, которое начинается в отрочестве. Мы в принципе никогда не обсуждали "Факты из жизни"[1], и, просто представляя себе задним числом, что такой разговор мог бы состояться, я чувствую, как мурашки бегают по моей спине.

"София, — сказала я. — Ты точно такая же, какой была я в свое время: старшая, на тебя рассчитывают, о тебе не нужно переживать. Это честь — играть

1 Популярный в 1980-х ситком о девушках-подростках, познающих радости и трудности взросления под присмотром харизматичной школьной директрисы.

такую роль. В диснеевских фильмах “хорошая дочь” в какой-то момент осознает, что жизнь — это не только соблюдение правил и получение призов, и тогда она срывает с себя одежду и бежит к океану или что-то в этом духе. Это всего лишь диснеевский способ поощрить тех людей, которые никогда не выигрывали призов. Призы дают тебе возможности, и это свобода — не бежать к океану”.

Я была глубоко взволнована собственной речью. И все же я чувствовала боль. Образ Софии, бегущей домой из школы с учебниками в руках, вспыхнул в моей голове, и я почти не смогла с ним справиться. “Дай мне веник, — сказала я. — Тебе нужно позаниматься музыкой. Я все уберу”.

Глава 29
Отчаяние

Мы с моей сестрой Мишель сдали анализы, чтобы выяснить, сможем ли мы быть донорами костного мозга для Кэтрин. У сестер больше шансов на идеальное совпадение, примерно один к трем, и я чувствовала себя странно обнадеженной, что моя кровь подойдет. Но я ошибалась. Ни Мишель, ни я не подошли. Ирония была в том, что мы идеально совпадали друг с другом, но никто из нас не мог помочь Кэтрин. Это означало, что теперь Кэтрин должна попытаться найти донора через Национальный регистр костного мозга. К нашему ужасу, мы выяснили, что раз братья и сестры не смогли совпасть, то шансы найти донора резко снижаются, особенно для выходцев из Азии и Африки. Интернет пестрел воззваниями от умирающих пациентов, отчаянно ищущих совпадения по костному мозгу. И, даже если такое совпадение находилось, процесс растягивался на месяцы — месяцы, которых у Кэтрин могло и не быть.

Первый курс химиотерапии не был для Кэтрин кошмаром. Но второй с лихвой отплатил ей за это. Было очень тяжело. Теперь я не получала вестей от сестры на протяжение дней. В панике я звонила Ору, но чаще всего попадала на голосовую почту или же он резко отвечал мне: "Не могу сейчас разговаривать, Эми. Попробую перезвонить тебе позже".

Основная причина смертности от химиотерапии — инфекция. Обыкновенные заболевания вроде простуды или гриппа запросто убивали раковых больных, чьи белые кровяные тельца были разрушены. Кэтрин преследовала одна инфекция за другой. Чтобы бороться с ними, доктора выписывали множество антибиотиков, которые становились причиной болезненных побочных эффектов. А когда не срабатывали одни антибиотики, в бой вступали другие. Кэтрин неделями не могла есть и пить и вынуждена была получать питание внутривенно. Ее постоянно кидало то в жар, то в холод. Осложнения и кризисы следовали один за другим, и сестра зачастую так страдала, что приходилось давать успокоительное.

Когда ей начали вводить химию повторно, мы снова затаили дыхание и принялись ждать. Мы понимали, что загнать лейкемию Кэтрин в ремиссию получится, только если организм начнет вырабатывать здоровые кровяные клетки, в частности нейтрофилы, защищающие от бактериальных инфекций. Я знала, что Кэтрин каждое утро делают переливание крови, так что в шесть часов утра я уже сидела за компьютером в ожидании письма от нее. Но Кэтрин мне больше не писала. Когда я не могла больше ждать и сама писала Кэтрин, я получала ответы вроде: "Анализы все еще не радуют", или "Пока ничего. Страшно разочарована". Вскоре она вообще перестала отвечать на мои письма.

Я никогда не могла понять, что не так с людьми, которые, не дозвонившись, оставляют одно голосовое сообщение за другим ("Позвони мне! Где ты? Я беспокоюсь"), даже когда очевидно, что есть причина не перезванивать. Теперь я ничего не могла с собой поделать. Я так беспокоилась, что стала раздражать окружающих. Через неделю после того, как закончился второй курс химии, я названивала Кэтрин снова и снова — у нее был определитель номера, так что она знала, что это была я, — оставляла ей сообщения, делилась ненужными новостями, воображая, что это развеселит ее и поднимет настроение.

Как-то утром Кэтрин ответила на звонок. Она была сама на себя не похожа. Ее голос был настолько слаб, что я едва могла слышать ее. Я спросила, как она себя чувствует, но она только вздохнула. Затем она сказала: "Все бесполезно, Эми. Я не справлюсь с этим. Нет никакой надежды…" — и ее голос затих. "Не будь дурочкой, Кэтрин, — ответила я. — Это совершенно нормально, что показатели растут так медленно. Иногда это занимает месяцы. Джед как раз недавно провел исследование на этот счет. Могу отправить тебе данные, если хочешь. А еще Ор сказал мне, что врач смотрит на все с большим оптимизмом. Просто дай себе еще один день".

Ответа не последовало, так что я начала снова. “Лулу — это такой кошмар!” — сказала я и угостила ее историями о скрипке, наших ссорах и о том, как я постоянно выхожу из себя. До болезни мы с Кэтрин часто беседовали о воспитании и о том, что не можем обладать над нашими детьми такой же властью, какой наши родители обладали над нами.

Затем, к моему облегчению, я услышала, как Кэтрин на другом конце провода рассмеялась и сказала уже нормальным голосом: “Бедная Лулу. Она такая хорошая девочка, Эми. Тебе нужно с ней помягче”.

На Хеллоуин мы узнали, что нашли донора — китаеамериканку, которая идеально совпала с Кэтрин. Четыре дня спустя я получила от Кэтрин письмо, в котором было написано: “У меня есть нейтрофилы! Всего 100, а должно быть 500, но, надеюсь, они подрастут”. И они росли — очень медленно, но росли. В начале ноября Кэтрин выписалась из больницы, чтобы восполнить силы. Вообще-то у нее был месяц до пересадки костного мозга, которая, как бы невероятно это ни звучало, могла потребовать еще одного курса химии, матери всех химиотерапий, которую проводят в специальной стерильной палате, чтобы уничтожить весь больной костный мозг Кэтрин и дать прижиться костному мозгу донора.

Многие пациенты этого не делают.

Целый месяц дома Кэтрин казалась такой счастливой. Она наслаждалась всем без исключения: кормлением Эллы, прогулками с детьми и просто наблюдением за тем, как они спят. Ее любимым занятием было смотреть, как Джейк играет в теннис.

Пересадка костного мозга прошла в канун Рождества. Мои родители и вся моя семья сняли номера в бостонском отеле. Мы ели китайскую еду и открывали подарки вместе с Ором, Эллой и Джейком.

Глава 30
“Еврейская мелодия”

Наступил новый, 2009 год. Он начался для нас не слишком празднично. Измученные, мы вернулись из Бостона. Я тяжело работала, стараясь сделать так, чтобы для Джейка и Эллы праздники прошли весело, пока их мама лежала в палате интенсивной терапии. Общение с родителями было еще более мучительным. Моя мать бесконечно истязала себя, спрашивая, почему, почему, почему у Кэтрин лейкемия. Несколько раз я жестоко огрызнулась на нее и потом чувствовала себя ужасно. Мой отец продолжал задавать мне одни и те же медицинские вопросы снова и снова, я адресовала их Джеду, который терпеливо объяснял детали процесса пересадки. Мы все были в ужасе от того, что мог принести новый год.

Когда мы вернулись в Нью-Хейвен, наш дом был темным и промерзшим. Накануне прошел жуткий ураган с рекордно сильным ветром, и некоторые окна были разбиты. Не работало электричество, что на какое-то время оставило нас без отопления. Мы с Джедом должны были начать новый семестр и подготовиться к лекциям. Но, что хуже всего, повсюду мелькала скрипка — у Лулу приближались три концерта и бат-мицва. Назад в окопы, подумала я мрачно.

Мы с Лулу почти не разговаривали. Несмотря на все усилия парикмахера, ее волосы все еще были короткими и слегка неровными, что портило мне настроение.

В конце января Кэтрин выписали из больницы. Поначалу она была такой слабой, что с трудом поднималась по лестнице. Поскольку она все еще была крайне подвержена инфекциям, ей запрещалось ходить в рестораны, магазины или кинотеатры без защитной маски. Мы все скрестили пальцы и молились, чтобы ее новая кровь не атаковала ее тело. В течение нескольких месяцев мы должны были выяснить, произойдет или нет с ней худший вид осложнения — отторжение трансплантата, — который был потенциально фатальным.

Поскольку время шло и бат-мицва приближалась, мы с Лулу активизировали наши баталии. Как и в случае с Софией, мы отошли от традиции и назначили вечеринку у нас дома. Основная ответственность лежала на Джеде, но я постоянно приставала к Лулу, чтобы она репетировала свою часть Гафтары, — я собиралась быть китайской матерью даже в том, что касалось иудаизма. Как всегда, за скрипку мы сражались сильнее всего. "Ты что, не слышишь меня? Я сказала, поднимайся наверх и репетируй “Еврейскую мелодию” СЕЙЧАС ЖЕ!” — я, должно быть, проорала это тысячу раз. “Это простая пьеса. Так что, если ты в ней не продвинешься, это будет провал. Хочешь быть посредственностью? — кричала я в другой раз. — Ты *этого* хочешь?”

Лулу отвечала с неизменной свирепостью: “Не всякая бат-мицва должна быть особенной, и я *не хочу* заниматься”. Или: “Я не буду играть на скрипке на бат-мицве! И ты этого не изменишь”. Или: “*Ненавижу* скрипку. Хочу бросить ее”. Уровень децибел в нашем доме зашкаливал. Вплоть до утра бат-мицвы я не знала, будет Лулу играть “Еврейскую мелодию” или нет, несмотря на то что она была в программках, которые напечатал Джед.

Лулу сыграла. Она справилась. Она прочитала свои отрывки из Торы и Гафтары с самообладанием и уверенностью, а то, как она исполняла “Еврейскую мелодию”, наполняя комнату такими красивыми звуками, что гости плакали, сделало очевидным для всех: музыка шла из самых глубин ее души.

На вечеринке я видела, как светится лицо Лулу от поздравлений. “О боже, Лулу, ты так *фантастически* играла на скрипке, я имею в виду — *просто здорово*”, — услышала я слова кого-то из ее друзей.

“Она экстраординарна, — удивлялась моя подруга-певица. — У нее и в самом деле есть дар, то, чему нельзя научить”. Когда я сказала ей, как трудно было мне заставить Лулу заниматься, моя подруга ответила: “Ты не можешь позволить ей бросить. Она будет жалеть об этом до конца своих дней".

Так происходило всегда, когда Лулу играла на скрипке. Слушатели, казалось, были очарованы ею и ее музыкой. И это сводило меня с ума, когда мы ссорились, а Лулу кричала, что ненавидит скрипку.

— Поздравляю, Эми. Бог знает, кем бы я была, если б ты была *моей* матерью, — шутила наша подруга Карен, в прошлом балерина. — Я бы прославилась.

— О нет, Карен, я себя никому не пожелаю, — сказала я, качая головой. — В этом доме много кричат и ссорятся. Я даже не была уверена в том, будет ли Лулу сегодня играть. По правде говоря, это меня ранит.

— Но ты столько даешь своим девочкам, — настаивала Карен. — Ощущение, что они талантливы, что совершенство значит очень многое. Это они пронесут с собой через всю жизнь.

— Возможно, — сказала я с сомнением. — Я больше ни в чем не уверена.

Это была отличная вечеринка, на которой все веселились. Лучшим было то, что приехали Кэтрин с семьей. За пять месяцев после выписки Кэтрин медленно восстанавливала силы, хотя ее иммунная система все еще была слаба, и я впадала в панику, стоило кому-то кашлянуть. Кэтрин выглядела худой, но красивой и почти с триумфом носила на руках Эллу.

Тем вечером, после того как гости разошлись, а мы убрали все, что смогли, я лежала в постели и думала, зайдет ли Лулу обнять меня, как это было после "Маленького белого ослика". Прошло довольно много времени, но она не пришла. И тогда я пошла к ней.

— Ты рада, что я заставила тебя сыграть "Еврейскую мелодию"? — спросила я ее.

Лулу выглядела счастливой, но, казалось, не испытывала ко мне теплых чувств.

— Да, мама, — ответила она. — Припиши себе и эту заслугу.

— Ладно, я так и сделаю, — сказала я, пытаясь рассмеяться. Затем я сказала ей, что горжусь ею и что она была восхитительной. Лулу улыбнулась и поблагодарила. Но она казалась отстраненной и с нетерпением ждала моего ухода. Что-то в ее глазах подсказало мне, что мои дни сочтены.

Глава 31
Красная площадь

Через два дня после бат-мицвы Лулу мы уехали в Россию. Это была поездка, о которой я давно мечтала. Когда я была маленькая, мои родители бредили Санкт-Петербургом, а мы с Джедом хотели отвезти девочек куда-то, где сами никогда не бывали.

Нам нужен был отпуск. Кэтрин только что миновала самый опасный этап, когда трансплантат мог быть отторгнут организмом. И в целом мы десять месяцев жили без единой передышки.

Нашей первой остановкой была Москва. Джед нашел нам удобный отель прямо в центре города. После короткого отдыха мы отправились знакомиться с Россией. Я пыталась дурачиться и быть беспечной — состояние, которое девочки во мне любили больше всего, — и как могла воздерживалась от своей обычной критики насчет того, во что они одеты и сколько раз сказали слово “круто”. Но было что-то зловещее в том дне. Сначала мы, чтобы обменять деньги, больше часа простояли в двух разных очередях в заведении, которое называется банком, а затем музей, который мы хотели посетить, оказался закрытым.

Мы решили пойти на Красную площадь, которая была в двух шагах от нашей гостиницы. Размеры площади поражали воображение. Три футбольных поля могли бы поместиться между воротами, через которые мы прошли, и собором Василия Блаженного с куполами-луковицами. Она не такая шикарная и очаровательная, как площади в Италии, подумала я. Она была построена, чтобы запугивать, и я представила пожарные батальоны и сталинских охранников. Лулу и София продолжали подначивать друг друга, что меня раздражало. Вообще-то меня раздражало то, что они выросли — подростки с меня ростом (в случае Софии — на три дюйма выше) вместо милых маленьких девочек. “Это происходит так быстро, — задумчиво говорили мне старшие друзья. — Еще до того, как ты их узнаешь, твои дети вырастут и уйдут, а ты станешь старой, даже несмотря на то, что будешь чувствовать себя тем же человеком, что и в молодости”. Я никогда им не верила, когда они так говорили. Выжимая так много из каждого момента каждого дня, я, возможно, представляла, что выторговываю себе время. Это чисто математический факт — люди, которые меньше спят, больше живут.

— За длинной белой стеной расположен Мавзолей Ленина, — показал Джед девочкам. — Тело забальзамировали и выставили на всеобщее обозрение. Мы можем завтра прийти посмотреть на него, — затем Джед вкратце рассказал девочкам о российской истории и политике холодной войны.

Послонявшись вокруг некоторое время, мы с удивлением столкнулись с несколькими американцами и китайцами, которые казались совершенно безразличными к нам, а потом присели в уличном кафе. Оно работало при знаменитом универмаге ГУМ, занимавшем роскошное барочное здание XIX века, перекрывавшее почти всю восточную сторону Красной площади, прямо напротив Кремля.

Мы решили взять блины с икрой. Забавный способ провести первый вечер в Москве, подумали мы с Джедом. Но когда принесли икру — 30 долларов за крошечную тарелочку, — Лулу сказала: "Фу, ужас" — и отказалась даже попробовать.

— София, не бери так много, оставь и нам что-нибудь, — прикрикнула я, а затем обернулась к младшей дочери. — Лулу, ты как неотесанный дикарь. Попробуй икру. Ты можешь добавить туда немного сметаны.

— Так еще хуже, — сказала Лулу и передернулась. — И не называй меня дикарем.

— Не порти всем отпуск, Лулу.

— Это ты его портишь.

Я подтолкнула икру к Лулу и приказала ей попробовать икринку, одну маленькую икринку.

— Почему, — спросила Лулу с вызовом, — почему ты так об этом переживаешь? Ты не можешь меня заставить что-то там есть.

Я почувствовала, как во мне закипает злость. Неужели я не могу заставить дочь сделать даже самую простую вещь?

— Ты ведешь себя как малолетняя преступница. Сейчас же попробуй икринку.

— Я не хочу, — отреагировала Лулу.

— Сейчас же!

— Нет.

— Эми, — начал Джед дипломатично. — Мы все устали. Почему бы нам просто...

Я перебила его: “Ты знаешь, как грустно и стыдно было бы моим родителям, если бы они увидели это, Лулу? Ты откровенно меня не слушаешься. А это выражение на твоем лице? Ты только вредишь себе. Мы в России, а ты отказываешься есть икру! Ты как варвар. И на случай, если тебе кажется, что ты — большая мятежница, я скажу тебе, что ты совершенно обыкновенная. Нет ничего более обычного, более предсказуемого, более вульгарного и низкого, чем американский подросток, который отказывается что-то попробовать. Ты скучна, Лулу. Скучна”.

— Заткнись, — сказала Лулу сердито.

— Не смей говорить мне “заткнись”. Я твоя мать, — я прошипела это, но все же несколько посетителей обернулись на нас. — Перестань вести себя так, чтобы впечатлить Софию.

— Я *ненавижу* тебя! НЕНАВИЖУ! — это со стороны Лулу уже не было шипением. Это было громко и с надрывом. Теперь на нас уставилось все кафе.

— Ты не любишь меня, — выплюнула Лулу. — Тебе кажется, что любишь, но это не так. Ты только заставляешь меня думать о себе плохо каждую секунду. Ты сломала мне жизнь. Я не могу находиться рядом с тобой. Ты этого добивалась?

Ком подступил к моему горлу. Лулу видела это, но продолжала:

— Ты *ужасная мать*. Ты эгоистка. Ни о ком, кроме себя, не заботишься. Что, не можешь поверить, что я столь неблагодарна? После всего, что ты сделала для меня? Все, что, как ты говоришь, ты делала для меня, ты сделала для себя.

Она очень на меня похожа, подумала я, такая же жестокая. А вслух сказала: "Ты ужасная дочь".

— Я знаю, я не та, кого ты хотела, я не китаянка! Я не хочу быть китаянкой, почему ты не можешь этого понять? Я *ненавижу* скрипку. Я НЕНАВИЖУ свою жизнь. Я НЕНАВИЖУ эту семью! Я собираюсь разбить этот стакан.

— Давай, — решилась я.

Лулу схватила стакан со стола и шваркнула его о землю. Вода и осколки разлетелись, и некоторые посетители ахнули. Я чувствовала, что все взгляды были устремлены на нас, на это гротескное зрелище.

Я сделала карьеру, порицая западных родителей, не способных контролировать собственных детей. Теперь же у меня был самый неуважительный, грубый, неконтролируемый ребенок из всех.

Лулу дрожала от гнева, в ее глазах были слезы. "Я разобью больше, если вы не оставите меня в покое", — плакала она.

Я встала и побежала. Я бежала так быстро, как могла, не зная куда — сумасшедшая рыдающая 46-летняя женщина в сандалиях. Я бежала мимо мавзолея Ленина и караула с винтовками, из которых, как я подумала, солдаты могли бы застрелить меня.

Затем я остановилась. Я подошла к краю Красной площади. Дальше некуда было идти.

Глава 32
Символ

Семьи часто выбирают себе символы: деревенское озеро, дедушкина медаль, ужин в Шаббат. В нашем доме таким символом стала скрипка.

В моих глазах она символизирует совершенство, утонченность и глубину в противовес торговым центрам, гигантским бутылкам колы, подростковой одежде и бесконтрольному потребительству. В отличие от прослушивания айпода игра на скрипке сложна и требует концентрации, точности и анализа. Даже на физическом уровне все, что связано со скрипкой, — полированное дерево, завиток грифа, конский волос, элегантный “мостик”, резная дека — является утонченным, изысканным и хрупким.

Как по мне, скрипка символизирует уважение к старшим, эталонам и опыту. К тем, кто знает больше и может научить. К тем, кто играет лучше и может вдохновлять. И к родителям.

Она также символизирует историю. Китайцы никогда не достигнут высот западной академической музыки, китайского эквивалента 9-й симфонии Бетховена нет, но высоты традиционной музыки глубоко переплетены с китайской цивилизацией. Семиструнный цинь, который часто ассоциируют с Конфуцием, существует уже как минимум две с половиной тысячи лет. Его обессмертили поэты династии Тан, почитавшие его как инструмент мудрецов.

Но лучше всего скрипка символизирует контроль. Над семейным упадком. Над очередностью рождаемости. Над судьбой. Над ребенком. Почему внуки эмигрантов должны играть только на гитарах и барабанах? Почему вторые дети так предсказуемы в несоблюдении правил, в школьных успехах и в “большей социальности”, чем старшие? Короче, скрипка символизирует успех китайской модели воспитания.

В глазах Лулу это воплощение притеснения.

И, пока я медленно шла по Красной площади назад, я поняла, что скрипка стала символом притеснения и для меня. Просто представляя скрипичный футляр Лулу перед дверью нашего дома, я думаю о тех бесконечных часах и годах труда, борьбы, раздражения и страданий, которые мы пережили. Ради чего? Также я поняла, что всем своим сердцем боюсь того, что нам еще предстоит.

Мне пришло в голову, что так, должно быть, думают западные родители и что именно поэтому они столь часто позволяют свои детям отказываться от сложных музыкальных инструментов.

Зачем пытать себя и своего ребенка? В чем смысл? Если ваш ребенок чего-то не любит, даже ненавидит, то что хорошего в том, чтобы заставлять его заниматься этим? Как китайская мать я знала, что никогда не должна предаваться таким мыслям.

Я присоединилась к семье в кафе при ГУМе. Официанты и посетители отвели глаза.

— Лулу, — сказала я. — Ты победила. Все кончено. Мы бросаем скрипку.

Глава 33
На Запад

Мой отец, начало 1970-х

Я не блефовала. С Лулу я всегда балансировала на грани, но в данном случае говорила всерьез. Может, я наконец-то позволила себе восхититься непоколебимой силой Лулу, даже если была категорически не согласна с ее выбором. Или, возможно, дело было в Кэтрин. Видя, как она страдает, мы поняли, что именно стало для нее по-настоящему важным в те отчаянные месяцы, и это смешало карты всем нам.

Это также могло быть связано с моей мамой. Для меня она навсегда останется воплощением китайской матери. Когда мы росли, для нее все было недостаточно хорошо. (“Ты сказала, что заняла первое место, но на самом деле ты его с кем-то разделила?”) Она занималась с Синди музыкой по три часа в день, пока учитель мягко не сказал ей — достаточно. Даже когда я стала профессором и приглашала ее на некоторые из своих публичных лекций, она позволяла себе болезненно точную критику, тогда как все говорили, что я хорошо поработала. (“Ты слишком взволнована и говоришь чересчур быстро. Попробуй держаться хладнокровно, и станет лучше”.) Тем не менее моя собственная китайская мать взывала ко мне долгое время, утверждая, что с Лулу что-то не так. “Все дети разные, — говорила она. — Ты должна все исправить, Эми. Посмотри, что случилось с твоим отцом”, — добавила она зловеще.

Так вот, о моем отце. Думаю, настало время кое-что прояснить. Я всегда говорила Джеду, себе и всем вокруг, что окончательное превосходство китайского воспитания заключается в том, как дети относятся к своим родителям. Несмотря на жесткие родительские запросы, словесные оскорбления и игнорирование их желаний, китайские дети до последнего обожают и уважают родителей и хотят заботиться о них в старости. С самого начала Джед спрашивал меня: “А что насчет твоего отца, Эми?” — и у меня ни разу не нашлось подходящего ответа.

В своей семье мой отец был паршивой овцой. Его мать не любила его и относилась к нему несправедливо. В его доме сравнивать детей было обычным делом, и мой отец — четвертый из шестерых — всегда был хуже всех. Он не интересовался бизнесом, как остальные члены семьи. Он любил науку и быстрые автомобили; когда ему было восемь лет, он с нуля собрал радиоприемник. В сравнении с братьями мой отец был изгоем, рисковым и бунтующим. Мягко говоря, его мать не уважала его выбор, не уважала его индивидуальность и не беспокоилась о его самооценке, то есть обо всех этих западных клише. В результате мой отец возненавидел свою семью, считал ее удушливой и вредоносной и, как только ему представился шанс, уехал так далеко, как только смог, ни разу не оглянувшись.

История моего отца иллюстрирует то, о чем я в жизни не хотела бы думать. Когда китайское воспитание успешно, нет ничего подобного ему. Но успешно оно не всегда. В случае с моим отцом оно не сработало. Он почти не разговаривал со своей матерью и думал о ней лишь как о вселенском зле. К концу ее жизни его семья была почти мертва для моего отца.

Я не могла потерять Лулу. Не было ничего важнее. Так что я сделала самую западную вещь из всех, что можно представить: я предоставила ей выбор. Я сказала ей, что она может бросить скрипку, если хочет, и делать то, что ей нравится, на тот момент — играть в теннис.

Сначала Лулу думала, что это ловушка. Долгие годы мы вдвоем вели такую бескомпромиссную борьбу и столь запутанные психологические войны, что естественно было заподозрить неладное. Но, когда она осознала, что я честна с ней, она меня удивила.

— Я не хочу бросать, — сказала она. — Я люблю скрипку. Я бы никогда не бросила.

— О, пожалуйста, — сказала я, качая головой. — Только давай не будем снова наступать на те же грабли.

— Я не хочу бросать скрипку, — повторила Лулу. — Я просто не хочу так интенсивно репетировать. Это не то, чем я хочу заниматься в жизни. Ты выбрала скрипку, не я.

Оказывается, "не так интенсивно" повлекло за собой радикальные, страшно огорчявшие меня последствия. Для начала Лулу решила уйти из оркестра, отказавшись от места концертмейстера, чтобы освободить для тенниса субботние утра. Не было момента, когда бы это не вызывало у меня боль. Исполнив свою последнюю в качестве концертмейстера пьесу на концерте в Тэнглвуде, она пожала дирижеру руку, и я чуть не расплакалась. Затем Лулу решила, что не хочет каждое воскресенье ездить в Нью-Йорк на уроки скрипки, так что мы отказались от места в школе мисс Танака, нашего драгоценного места у знаменитого преподавателя из Джуллиарда, которое было так сложно заполучить!

Вместо этого я нашла Лулу учителя в Нью-Хейвене. После длительной беседы мы также согласились, что Лулу будет репетировать самостоятельно, без меня или личных репетиторов, и всего по тридцать минут в день — что было, как я знала, недостаточно для поддержания высокого уровня ее исполнительского мастерства.

Первые несколько недель после принятия решения я бродила по дому как человек, потерявший свою миссию, смысл жизни.

Недавно за ужином я встретила Элизабет Александер, професора из Йеля, которая читала свои стихи на инаугурации президента Обамы. Я сказала ей, как восхищаюсь ее работой, и мы обменялись парой слов.

Затем она сказала: “Стойте, кажется, я вас знаю. У вас же есть две дочери, которые учатся в *Neighborhood Music School*. Это же вы мать тех потрясающе талантливых девочек?”

Выяснилось, что у Элизабет тоже двое детей, помладше моих, которые тоже учатся в *Neighborhood Music School*, и что они несколько раз слышали выступления Софии и Лулу. “У вас удивительные дочери, — сказала она. — Они вдохновили моих малышей”.

Раньше я бы скромно сказала: “О, на самом деле они не так уж и хороши” — в надежде, что Элизабет попросит меня побольше рассказать о музыкальных достижениях Софии и Лулу. Сейчас же я просто кивнула.

— Они все еще музицируют? — продолжила Элизабет. — Я больше не вижу их в школе.

— Моя старшая дочь все еще играет на фортепиано, — ответила я. — А младшая, скрипачка, больше не занимается музыкой.

Словно нож вонзился мне в сердце: “Вместо этого она предпочитает играть в теннис”. Даже если она занимает последнее из десяти тысяч мест в Нью-Хейвене, подумала я про себя. Из десяти тысяч.

— О нет! — воскликнула Элизабет. — Как ужасно. Помнится, она была такой одаренной.

— Это ее решение, — услышала я свой голос. — Скрипка отнимала слишком много времени. А вы знаете этих тринадцатилетних. — Каким же западным родителем я стала, подумала я. Какое поражение.

Но я сдержала слово. Я разрешила Лулу играть в теннис, раз уж он ей так нравится, в ее собственном темпе, принимая самостоятельные решения. Помню, как она впервые записалась на турнир *Novice USTA*. Она пришла домой в хорошем настроении, явно заряженная адреналином.

— Ну как? — спросила я.

— О, я проиграла, но это мой первый турнир, и я выбрала неправильную стратегию.

— И какой был счет?

— Ноль — шесть, ноль — шесть, — сказала Лулу. — Но девчонка, с которой я играла, была просто зверь.

Если она так хороша, то почему же участвует в турнире для новичков, подумала я про себя мрачно, а вслух сказала: “Недавно Билл Клинтон сказал студентам Йеля, что они могут стать по-настоящему великими в том, что любят. Так что здорово, что ты любишь теннис”.

Но сам по себе факт, что ты что-то любишь, добавила я про себя, не означает, что ты обязательно станешь великим. Не станешь, если не будешь работать. Большинство людей просто отвратительны в том, что они любят.

Глава 34
Окончание

Лулу на корте

Недавно в нашем доме прошел официальный обед для судей со всего мира. Один из плюсов работы профессором Йеля заключается в том, что ты можешь встретить некоторых потрясающих людей — величайших юристов наших дней. За десять лет конституционный семинар в Йеле подарил Верховному суду судей из десятков стран, в том числе и из США.

Чтобы развлечь гостей, мы пригласили преподавателя Софии Вей-Йи Янга исполнить часть программы, которую он подготовил для знаменитой серии фортепианных концертов Горовитца в Йеле. Вей-Йи великодушно предложил, чтобы его юная ученица София тоже выступила. Ради смеха учитель и ученица также могли бы сыграть дуэтом пьесу “В лодке” из “Маленькой сюиты” Дебюсси.

Я была невероятно взволнована, нервничала из-за этой идеи и с нажимом сказала Софии: “Только не провали. Все зависит от твоего выступления. Судьи приедут в Нью-Хейвен послушать талантливую школьницу. Если ты не будешь сногсшибательно совершенной, то мы их оскорбим. Так что бегом к роялю и не отходи от него”. Думаю, во мне все еще осталось немного от китайской матери.

Следующие несколько недель мы будто воспроизводили подготовку к выступлению в Карнеги-холле — за исключением того, что на сей раз София большую часть времени занималась самостоятельно. Как и тогда, я погрузилась в ее пьесы — Аллегро апассионато Сен-Санса и полонез и “Экспромт-фантазию” Шопена, — но правда заключалась в том, что София во мне больше почти не нуждалась. Она в точности знала, что должна делать, и я лишь изредка критиковала ее из кухни или со второго этажа. Тем временем мы с Джедом вынесли всю мебель из гостиной, кроме рояля. Я отскребла пол, и мы арендовали кресла на пятьдесят человек.

В вечер выступления на Софии было красное платье, и, когда она вышла на свой первый поклон, меня охватила паника. Во время полонеза я практически окаменела. Также я не могла насладиться и Сен-Сансом, хотя София сыграла его блестяще. Эта пьеса была частью изысканного развлечения, а я слишком волновалась, чтобы развлекаться. Сможет ли София сыграть все легко и чисто? Может быть, она репетировала слишком много, и теперь ее руки устали? Я должна была заставить себя прекратить трястись, раскачиваться туда-сюда и механически напевать, что я обычно делаю, когда девочки выступают со сложной программой.

Но когда София играла свою последнюю пьесу — "Экспромт-фантазию" Шопена, — ситуация изменилась. По какой-то причине напряжение во мне рассеялось, столбняк прошел, и я могла думать только о том, что она овладела пьесой. Когда София встала, чтобы поклониться, сияя улыбкой, я подумала — вот моя девочка, она счастлива, и счастливой ее делает музыка. В тот момент я знала — мои усилия были не напрасны.

София заслужила овации, а потом юристы, среди которых были те, кому я поклонялась годами, рассыпались в похвалах. Один сказал, что игра Софии была возвышенной и что он мог бы слушать ее весь вечер. Другой настаивал на том, что девочке надо заниматься профессионально, поскольку будет преступлением упустить такой талант. И на удивление много гостей, которые сами были родителями, задали мне личные вопросы вроде: "В чем ваш секрет? Думаете, дело в культуре азиатских семей, где рождается так много исключительных музыкантов?" или "Скажите, София занимается потому, что любит музыку, или потому, что вы ее заставляете? Просто я не могу заставить собственных детей позаниматься хотя бы пятнадцать минут”. И наконец: “А что с вашей младшей дочерью? Говорят, она выдающаяся скрипачка. Мы услышим ее в следующий раз?”

Я сказала им, что изо всех сил пишу книгу, в которой отвечаю на все эти вопросы, и что пришлю им по экземпляру, когда работа будет закончена.

Примерно в то же время, когда София выступала перед судьями, я забрала Лулу с одного богом забытого теннисного корта в Коннектикуте, в часе езды от нас.

— А знаешь, мама, я выиграла.

— Выиграла что? — спросила я.

— Турнир.

— И что это значит?

— Я выиграла три матча и в финале выбила сеяного игрока[1]. Она шла под номером шестьдесят в Новой Англии. Не могу поверить в то, что выиграла у нее!

Это застало меня врасплох. Будучи подростком, я играла в теннис, но всегда только для развлечения, с семьей или школьными приятелями. Став взрослой, я пыталась сыграть пару турниров, но быстро поняла, что не выдерживаю напряжения спортивных состязаний. Мы с Джедом заставляли Софию и Лулу брать уроки тенниса в основном ради семейного досуга, но никогда не питали особых спортивных надежд на их счет.

— Ты все еще играешь среди новичков? — спросила я Лулу. — На низшем уровне?

1 *Сеяный игрок* — спортсмен, входящий в число сильнейших игроков основного турнира, которые не должны встречаться между собой в таблице соревнования в первых турах.

— Да, — ответила она дружелюбно. С тех пор как я предоставила ей свободу выбора, мы стали общаться друг с другом значительно легче. Казалось, моя боль пошла ей на пользу и она стала более терпимой и добродушной. — Но я собираюсь попробовать перейти на новый уровень в ближайшее время. Я уверена, что проиграю, но почему бы не попробовать ради смеха.

После этого, совершенно неожиданно, Лулу сказала: “Я так скучаю по оркестру”.

За следующие шесть недель она выиграла три турнира. На последних двух я наблюдала за ее игрой, поражаясь тому, каким метеором она была на корте, как неистово она отбивала, какой сосредоточенной казалась и как не позволяла себе сдаться.

Поскольку Лулу побеждала, соревнования становились все более жесткими. На одном из турниров она проиграла девочке, которая была в два раза крупнее. Когда Лулу вышла с корта, она по-доброму улыбалась, но, сев в машину, сказала: “В следующий раз я ее сделаю. Сейчас я еще не в форме, но скоро стану лучше”. Затем она спросила меня, не смогу ли я записать ее на дополнительные уроки по теннису.

На следующем занятии я наблюдала, как Лулу отрабатывает свой удар слева — с вниманием и упорством, которых я никогда в ней не замечала. После она спросила меня, не куплю ли я ей побольше мячиков, чтобы она продолжила тренировку, и мы остались еще на час. По дороге домой, когда я сказала ей, насколько лучше стал ее удар, она ответила: “Нет, я все еще бью неправильно. Мы сможем поехать на корт завтра?”

У нее такой драйв, подумала я про себя. Она такая… напористая.

Я поговорила с инструктором Лулу по теннису: “Ведь невозможно, чтобы она стала по-настоящему преуспевающей теннисисткой, так? Я имею в виду, что ей тринадцать, а после десяти лет уже слишком поздно начинать тренироваться, — я слышала о популярности теннисных академий и четырехлетках с личными тренерами. — К тому же она слишком маленького роста, как и я”.

— Важнее всего то, что Лулу любит теннис, — очень по-американски сказал инструктор. — И у нее невероятная работоспособность. Я никогда не видел никого, кто развивался бы так быстро. Она потрясающий ребенок. Вы с мужем отлично потрудились над ней. Она никогда не выкладывается меньше чем на сто десять процентов и всегда так жизнерадостна и вежлива.

— Вы, должно быть, шутите, — ответила я. Но дух мой воспарил. Может быть, в действие вступил китайский круг добродетели? Может быть, я просто выбрала для Лулу не тот вид деятельности? Теннис очень респектабельный вид спорта, не то что боулинг. В конце концов, Майкл Чанг[1] играет в теннис.

Я начала приспосабливаться. Я ознакомилась с правилами и процедурами *USTA* и национальной системой рейтингов. Я также присматривалась к тренерам и начала обзванивать округу на предмет поиска хорошей теннисной школы в регионе.

1 Американский теннисист китайского происхождения. Самый молодой в истории победитель Открытого чемпионата Франции.

Однажды Лулу подслушала. “Что ты делаешь?” — требовательно спросила она.

Когда я объяснила, что всего лишь провела небольшое исследование, она неожиданно взбесилась. “Нет, мама, *нет*! — сказала она свирепо. — Не надо портить мне теннис, как ты испортила мне скрипку”.

Это ранило меня. Я отступила.

На следующий день я попробовала снова: “Лулу, в Массачусетсе есть одно место…”

— Нет, мама, пожалуйста, остановись, — сказала она. — Я могу справиться самостоятельно. Мне не нужно твое участие.

— Но, Лулу, нам надо всего лишь направить твои силы…

— Мне это *знакомо*. Я знаю тебя и слышала твои лекции миллион раз. Но я не хочу, чтобы ты контролировала мою жизнь.

Я посмотрела на Лулу оценивающе. Все свидетельствовало о том, что она похожа на меня. Иногда мне нравилось это слышать, а она категорически отрицала. Образ того, как она, трехлетняя, стоит снаружи, непокорная и замерзшая, появился у меня перед глазами. Она неукротима, подумала я, и всегда была такой. В чем бы она ни нашла себя, она будет великолепна.

— Хорошо, Лулу, я согласна, — сказала я. — Видишь, какая я податливая и уступчивая? Чтобы преуспеть в этом мире, всегда нужно уметь приспосабливаться. Это то, в чем я особенно хороша, и то, чему тебе следовало бы у меня поучиться.

Но на самом деле я не сдалась. Я все еще воюю, хотя мне и пришлось существенно изменить стратегию. Я стала лояльной и открытой. На следующий день Лулу сказала мне, что будет еще меньше времени уделять скрипке, поскольку у нее есть другие интересы вроде писательства и импровизаций. Вместо того чтобы впасть в истерику, я была благосклонной и предупредительной. Я видела перспективу. Лулу может заниматься пародиями, и, хотя импровизация вовсе не китайская вещь и идет вразрез с классической музыкой, это определенно навык. Я также надеюсь, что Лулу не сможет противостоять своей любви к музыке и однажды — может быть, скоро — вернется к скрипке по собственной воле.

Пока же каждые выходные я отвожу Лулу на новый турнир и смотрю, как она играет. Недавно она вступила в университетскую команду по теннису — единственный ребенок из средней школы, который удостоился такой чести. Поскольку Лулу настаивает, что ей не нужны от меня ни советы, ни критика, я прибегаю к шпионажу и партизанской войне. Я втайне вкладываю идеи в голову ее тренера, пишу ей вопросы и стратегию тренировок, затем удаляю эсэмэс, так что Лулу никогда их не увидит. Иногда, когда Лулу меньше всего этого ожидает — за завтраком или когда я говорю ей "спокойной ночи", — я неожиданно кричу: "Больше ударов с лета" или "Не двигай правой ногой во время подачи". Лулу затыкает уши, мы ссоримся, но мое сообщение достигает цели, и я знаю, что она знает, что я права.

Эпилог

Наша семья, 2010 год

Тиграм свойственны страсть и безрассудство, ослепляющие их и подвергающие опасности. Но они во всем опираются на опыт, получая новую энергию и большую силу.

Я начала писать эту книгу 29 июня 2009 года, на следующий день после того, как мы вернулись из России. Я не знала, зачем это делаю и чем книга закончится, но, несмотря на то что у меня бывает писательский ступор, на сей раз слова буквально лились из меня. Первые две трети я написала за два месяца. (Последняя треть была мучительной.) Каждую страницу я показывала Джеду и девочкам. “Мы пишем это все вместе”, — сказала я Софии и Лулу. “Вот уж нет, — ответили они. — Это твоя книга, мама, не наша”.

— Я уверена, что она целиком о тебе, — добавила Лулу.

Но время шло, и чем больше девочки читали, тем больше помогали мне. Правда в том, что это было терапией — западная концепция, что не преминули отметить девочки.

За годы я забыла множество вещей, хороших и плохих, о которых Лулу, София и Джед мне напомнили. В попытке сложить все вместе я раскопала старые письма, компьютерные файлы, музыкальные программки и фотоальбомы. Мы с Джедом частенько предавались ностальгии. Вроде бы еще вчера София была ребенком, а сейчас ей остался всего год до колледжа. Сложно превзойти Софию и Лулу в том, какими милыми они были.

Не поймите меня неправильно: создавать эту книгу было нелегко. Как и все остальное в нашей семье. Я должна была написать множество черновиков, постоянно пересматривая их в свете возражений девочек. В итоге мне пришлось выкинуть несколько больших кусков о Джеде, поскольку они сами по себе тянули на отдельную книгу, и эти истории должен рассказывать он. Некоторые части мне пришлось переписывать по двадцать раз, чтобы удовлетворить

Софию и Лулу. Несколько раз одна из них читала черновик и внезапно ударялась в слезы и истерику. Или же я получала краткое: “Отлично, ма, очень смешно! Я просто не знаю, о ком ты пишешь, вот и все. Это точно не про нашу семью”.

— О нет! — закричала Лулу как-то раз. — Предполагается, что я — Пушкин и тупица? А София, значит, Коко, умница и всему быстро учится?

Я отметила, что Коко не была умницей и вообще ничему не научилась. Я заверила девочек, что не стремилась превратить собак в метафоры.

— Так каким тогда целям они служат? — очень даже резонно спросила София. — Зачем они нужны в книге?

— Пока не знаю, — призналась я. — Но я знаю, что они важны. Есть что-то по сути своей странное в китайской матери, воспитывающей собак.

В другой раз Лулу пожаловалась: “Думаю, ты преувеличиваешь разницу между мной и Софией, чтобы сделать книгу интереснее. Ты показываешь меня типичным бунтующим американским подростком, тогда как я даже рядом с ним не стояла”. София тем временем сказала только: “Ты чересчур смягчила Лулу. Она теперь похожа на ангела”.

Естественно, девочки сочли, что книга не показывает их равными. “Тебе следует посвятить ее Лулу, — однажды сказала София великодушно. — Совершенно точно главная героиня — она. Я скучная и не понравлюсь читателям, зато она очень живая и выпендрежная”. А вот что заявила Лулу: “Может, тебе стоит назвать книгу “Идеальный ребенок и плотоядный дьявол”? Или “Почему старшие дети всегда лучше младших”? Она же об этом, не так ли?”

Лето шло, а девочки не прекращали ныть: “И чем же закончится книга, мама? Там будет хеппи-энд?”

Я всегда отвечала что-то вроде: “Все зависит от вас. Но, думаю, это будет трагедия”. Пролетали месяцы, но я просто не могла понять, каким будет финал. Однажды я вбежала к девочкам: “Нашла! Я знаю, как закончить!”

Девочки были в восторге. “И как же? — спросила София. — На чем ты закончишь?”

— Я решила одобрить гибридный подход, — сказала я. — Взять лучшее из двух миров. Пока ребенку не исполнилось восемнадцать, китайский способ работает, развивая уверенность и значимость опыта, а после начинается западный. Каждый человек должен найти собственный путь, — добавила я тактично.

— Стой, до восемнадцати? — спросила София. — Это не гибридный подход. Это китайское воспитание на протяжение всего детства.

— Думаю, ты слишком дотошна, София.

И все же я вернулась к работе. Я извела тонны бумаги, произведя на свет немыслимое количество черновиков. Наконец однажды — на самом деле вчера — я спросила девочек, чем, как они думают, должна закончиться книга.

— Ну, — сказала София, — ты в этой книге пытаешься рассказать правду или просто интересную историю?

— Правду, — ответила я.

— Это будет нелегко, поскольку правда то и дело меняется.

— Это не так. У меня прекрасная память.

— Тогда почему ты все время пересматриваешь финал? — спросила София.

— Потому что она не знает, что хочет сказать, — предположила Лулу.

— Ты не сможешь писать только правду, — сказала София. — Ты выбросила так много фактов. И это значит, что никто не сможет понять, что было на самом деле. Например, каждый будет думать, что я *подчинялась* китайскому воспитанию, хотя это не так. Оно сопровождало меня, но по моему собственному выбору.

— Только не тогда, когда ты была маленькой, — заметила Лулу. — Мама вообще не давала нам выбора, когда мы были детьми. Вместо этого было: "Вы хотите заниматься музыкой шесть часов или пять?"

— Выбор… Любопытно, что все сводится именно к этому, — сказала я. — Западники верят в выбор, китайцы — нет. Я высмеивала Попо за то, что она предоставила вашему папе выбор насчет уроков скрипки. Конечно же, он выбрал не заниматься. Но сейчас, Лулу, мне интересно, что произошло бы, не заставь я тебя пройти прослушивание в Джуллиарде или репетировать так много часов в день. Кто знает? Может быть, ты до сих пор любила бы скрипку. А если я бы предоставила тебе самой выбрать инструмент? Или вообще не выбирать музыку? В конце концов у твоего папы все сложилось не так уж и плохо.

— Не смеши меня, — сказала Лулу. — Конечно, я рада, что ты заставила меня играть на скрипке.

— Ну *разумеется*. Привет, доктор Джекил. А где же мистер Хайд?

— Нет, я серьезно, — сказала Лулу. — Я всегда буду любить скрипку. Я даже рада, что ты заставляла меня зубрить дроби. И учить китайский по два часа в день.

— Правда? — спросила я.

— Ага, — кивнула Лулу.

— Здорово! — сказала я. — Поскольку, полагаю, мы сделали отличный выбор, несмотря на то что все кругом думали, будто для вашей с Софией психики это было крайне вредно. И знаете, чем больше я думаю об этом, тем больше бешусь. Западные родители со своей политической линией насчет того, что для детей хорошо, а что плохо… не уверена, что они вообще делают выбор. Они просто занимаются тем же, чем и все остальные. Они не сомневаются ни в чем из того, что "западники" считают полезным. Они просто повторяют что-то вроде: "Вы должны предоставить детям свободу следовать за своей *страстью*", когда очевидно, что страсть — это сидеть в "Фейсбуке" по десять часов в день (что является жуткой тратой времени) и поглощать фастфуд. Говорю вам, эта страна *катится под откос*! Неудивительно, что западные родители отправляются прямиком в дома престарелых, когда становятся старыми! Вам лучше не отсылать меня туда. И я также не хочу, чтобы меня отключали от систем жизнеобеспечения.

— Успокойся, мамуля, — улыбнулась Лулу.

— Когда их дети в чем-то терпят неудачу, вместо того чтобы требовать от них более тяжелого труда, западные родители подают в суд!

— О ком ты говоришь? — спросила София. — Я не знаю ни одного западного родителя, который бы по такому поводу обратился в суд.

— Я отказываюсь прогибаться под политкорректные западные общественные нормы, они же совершенно идиотские. И никак не связаны с историей. Откуда берутся корни детских праздников? Думаете, отцы-основатели ходили на вечеринки с ночевкой? Я вообще думаю, что у американских отцов-основателей были китайские ценности.

— Ненавижу перебивать тебя, мама, но...

— Бен Франклин говорил: “Любишь жизнь? Тогда не теряй времени”. Томас Джефферсон говорил: “Я твердо верю в удачу. И я заметил: чем больше я работаю, тем я удачливее”. Александр Гамильтон говорил: “Не будьте нытиками”. Это совершенно китайское мышление.

— Мамочка, если так думали отцы-основатели, то в таком случае это американский способ мышления, — сказала София. — Кроме того, мне кажется, что ты не совсем правильно процитировала.

— Процитируй лучше, — подначила я ее.

Моя сестра Кэтрин поправляется. Жить ей определенно нелегко, и опасности пока еще подстерегают ее, но она герой и достойно несет свой крест, круглосуточно занимаясь исследованиями, публикуя статью за статьей и стараясь как можно больше общаться с детьми.

Я часто думаю, какой урок преподала ее болезнь. Учитывая, что жизнь так коротка и хрупка, любой из нас должен стараться выжать как можно больше из каждого вдоха, из каждого мгновения. Но что это значит — жить полной жизнью?

Мы все умрем. Но как это произойдет? В любом случае я только что сказала Джеду, что хочу еще одну собаку.

Благодарности

Мне нужно поблагодарить так много людей.

Моих маму с папой — никто не верил в меня сильнее, чем они, и я глубоко признательна и благодарна им.

Софию и Лулу — мой величайший источник счастья, гордость и радость всей моей жизни.

Моих потрясающих сестер — Мишель, Кэтрин и Синди.

И больше всего — моего мужа Джеда Рубенфельда, который двадцать пять лет подряд читал каждое написанное мною слово. Я невероятно удачлива в том, что стала адресатом его доброты и таланта.

Моего зятя Ора Гозани, племянников и племянниц Амалию, Димитрия, Диану, Джейка и Эллу.

Моих дорогих друзей за вдохновляющие комментарии, страстные споры и неоценимую поддержку: Алексис Контант и Джордана Смоллера, Сильвию и Уолтера Астереров, Сюзан и Пола Фидлеров, Марину Сантилли, Энн Дейли, Дженнифер Браун (за “смирение”!), Нэнси Гринберг, Энн Тоффлмайер, Сару Билстон и Дэниела Марковитца и Кэтрин Браун-Дорато и Алекса Дорато.

Также спасибо Элизабет Александер, Барбаре Розен, Роджеру Споттисвуду, Эмили Бейзлон, Линде Берт и Энни Витт за их щедрую поддержку.

Спасибо всем тем, кто помог привить Софии и Лулу любовь к музыке, включая Мишель Зингале, Карла Шугарта, Фиону Мюррей, Джоди Ровитч и Алексис Зингале из *Neighborhood Music School*; потрясающему Ричарду Бруку из молодежного симфонического оркестра Норфолка; Аннетт Чанг Баргер, Йинг Йинг Хо, Ютинг Хуанг, Нэнси Джин, Кивон Нам и Александре Ньюман; исключительным Наоко Танака и Альмите Вамос и особенно моему хорошему другу Вей-Йи Янгу.

Потрясающим, умным, заботливым учителям из *Foote School*, где учились София и Лулу, особенно Джоди Катбертсон и Клиффу Салину.

На теннисном фронте: Алексу Дорато, Кристиану Эпплману и Стасе Фонсеке.

Моим студентам Жаклин Эсэй, Роману Фэрроу, Сью Гаунь, Стефани Ли, Джиму Лайтенбергу, Джастину Ло, Питеру Мак-Эллиготу, Люку Норрису, Амелии Роулс, Набине Сайед и Элине Тетелбаум.

Наконец, мои сердечные благодарности удивительной Тине Беннетт, лучшему из возможных агентов, и моему редактору и издателю, блестящей, непревзойденной Энн Годофф.

Примечания автора

Сентенции из китайского гороскопа взяты из *"Китайский гороскоп: Тигр"*, http://pages.infinit.net/garrick/chinese/tiger.html (18 декабря 2009 г.) и *"Китайский гороскоп: Тигр"*, http://www.chinesezodiac.com/tiger.php (18 декабря 2009 г.).

Глава 1. *"Китайская мать"*
Статистика, на которую я ссылаюсь, взята из следующих исследований: Ruth K. Chao, *"Chinese and European American Mothers' Beliefs About the Role of Parenting in Children's School Success,"* Journal of Cross-Cultural Psychology 27 (1996): 403–23; Paul E. Jose, Carol S. Huntsinger, Phillip R. Huntsinger, and Fong-Ruey Liaw, *"Parental Values and Practices Relevant to Young Children's Social Development in Taiwan and the United States,"* Journal of Cross-Cultural Psychology 31 (2000): 677–702; and Parminder Parmar, *"Teacher or Playmate? Asian Immigrant and Euro-American Parents' Participation in Their Young Children's Daily Activities,"* Social Behavior and Personality 36 (2) (2008): 163–76.

Глава 3. *"Луиза"*
Кантри-песня, на которую я ссылаюсь, называется *Wild One*. Ее написали Джейми Кайл, Пэт Банч и Уилл Рамбо. Характеристики из китайского гороскопа взяты с сайтов *Monkey Facts*, http://www.chineseinkdesign.com/Chinese-Zodiac-Monkey.html (18 декабря 2009 г.); *The Pig/Boar Personality*, http://www.chinavoc.com/zodiac/pig/person.asp (18 декабря 2009 г.); и *Chinese Zodiac: Tiger*, http://pages.infinit.net/garrick/chinese/tiger.html (18 декабря 2009 г.).

Глава 5. "О семейном упадке"
Для более подробного изучения "музыкальных мамаш" из Азии посмотрите исследование Грейс Вэнг *"Interlopers in the Realm of High Culture: 'Music Moms' and the Performance of Asian and Asian American Identities,"* American Quarterly 61 (4) (2009): 881–903.

Глава 7. "Тигриная удача"
Если вы бы хотели, чтобы я предоставила более качественную версию этого свадебного снимка, то я, вероятно, могла бы это сделать. Можно было бы отсканировать фотографии из свадебного альбома и поработать над ними. Но надеюсь, что и эта сойдет — она немного мутная, но это вполне нормально для снимков такого типа. (А возможно, это даже было сделано преднамеренно.)

Глава 8. "Инструмент Лулу"
Brent Hugh, Claude Debussy and the Javanese Gamelan сайт http://brenthugh.com/debnotes/debussy-gamelan.pdf (12 декабря 2009 г.) (конспект лекции, данной в университете Миссури в Канзасе в 1998 г.).

Глава 9. "Скрипка"
О том, как нужно держать скрипку, читайте в книге Карла Флеша *"Искусство скрипичной игры"*. Т. 1. М.: Классика-XXI, 2007.

Глава 12. "Каденция"
О нашествии азиатов на музыкальные школы:
"В ведущих музыкальных школах и факультетах азиаты и азиатоамериканцы составляют от 30 до 50% всех студентов. На довузовском уровне их еще больше. Среди самых популярных программ — довузовская музыкальная программа Джуллиарда: азиатов и азиатоамериканцев здесь больше половины. Две наиболее обширных группы учеников представляют корейцы и китайцы, обучающиеся в классах скрипки и фортепиано".
Grace Wang, *"Interlopers in the Realm of High Culture: 'Music Moms' and the Performance of Asian and Asian American Identities,"* American Quarterly 61 (4) (2009): 882.

Глава 13. "Коко"
Рейтинги доктора Стенли Корена и информацию о нем можно найти в статье *The Intelligence of Dogs* на сайте http://petrix.com/dogint/ (24 июля 2009 г.). Другие статьи, на которые я ссылаюсь: Michael D. Jones, *"Samoyeds Breed — FAQ"* (1997) с сайта

CORPUS

ЭМИ ЧУА

БОЕВОЙ ГИМН МАТЕРИ-ТИГРИЦЫ

Главный редактор Варвара Горностаева
Художник Андрей Леонидов
Ведущий редактор Евгений Коган
Верстка Андрей Кондаков
Ответственный за выпуск Анна Самойлова
Технический редактор Татьяна Тимошина
Корректор Екатерина Комарова

ООО "Издательство АСТ",
127006 г. Москва, ул. Садовая-Триумфальная, д. 16, стр. 3

Подписано в печать 12.08.13. Формат 84×108 1/32
Бумага офсетная. Гарнитура "OriginalGaramondC"
Печать офсетная. Усл. печ. л. 15,12
Доп. тираж 4000 экз. Заказ № 3391-13.

Общероссийский классификатор продукции
ОК-005-93, том 2; 953000 — книги, брошюры

Отпечатано в соответствии с предоставленными материалами
в ООО "ИПК Парето-Принт", г. Тверь, www.pareto-print.ru

По вопросам оптовой покупки книг обращаться по адресу:
123317 г. Москва, Пресненская наб., д. 6, стр. 2, БЦ "Империя", а/я №5
Тел.: (499) 951 6000

http://www.faqs.org/faqs/dogs-faq/breeds/samoyeds (21 июля 2009 г.) и SnowAngels Samoyeds, *"The Samoyed Dog: A Short History"* с сайта http://www.snowangelssamoyeds.com/The_Samoyed.html (21 июля 2009 г.).